France Choquette

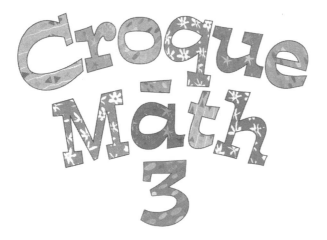

Cahier d'activités mathématiques
pour les enfants de 8 et 9 ans

TRÉCARRÉ

Conception graphique
Christine Battuz

Illustrations
Christine Battuz

Mise en pages
Ateliers de typographie Collette inc.

© Éditions du Trécarré 1998
    Tous droits réservés

Dépôt légal – 2e trimestre 1998
Bibliothèque nationale du Québec

ISBN 2-89249-748-5

Imprimé au Canada
01 02 03 00 99 98

Éditions du Trécarré
Saint-Laurent (Québec) Canada

*Nous reconnaissons l'aide financière du gouvernement du Canada par l'entremise du Programme
d'Aide au Développement de l'Industrie de l'Édition pour nos activités d'édition.*

Table des matières

Une rentrée foudroyante!

La 3ᵉ année, c'est… toute une année!

3

Des activités pleines de rebondissements

Du soleil à profusion !

4

Spécial fin d'année !

Tout un été pour s'amuser !

5

Le corrigé 141

6

Une rentrée foudroyante!

Présentation

Salut à toi !

Je te souhaite la bienvenue. Je suis ta nouvelle amie. Je m'appelle Croque-Math. Avec moi, tu feras toutes sortes d'activités mathématiques. Tu t'amuseras tout en apprenant à observer, à chercher, à penser et à calculer.

Alors, partons ensemble pour croquer... les chiffres et les nombres !

Ton amie,

Croque-Math

D'un chiffre à l'autre...

1. Effectue les multiplications suivantes, puis place les réponses dans la grille.

1. $3 \times 5 =$ _____

2. $3 \times 3 =$ _____

3. $4 \times 8 =$ _____

4. $2 \times 3 =$ _____

5. $6 \times 5 =$ _____

6. $2 \times 2 =$ _____

7. $6 \times 10 =$ _____

8. $5 \times 3 =$ _____

9. $4 \times 2 =$ _____

10. $6 \times 4 =$ _____

11. $9 \times 5 =$ _____

12. $3 \times 1 =$ _____

13. $0 \times 7 =$ _____

14. $8 \times 2 =$ _____

15. $4 \times 5 =$ _____

16. $9 \times 2 =$ _____

17. $2 \times 5 =$ _____

18. $4 \times 3 =$ _____

2. Complète les suites de nombres.

a) 5 – 10 – 15 – 20 – _____ – _____ – _____ – _____ – _____

b) 8 – 10 – 12 – 14 – _____ – _____ – _____ – _____ – _____

c) 37 – 40 – 43 – 46 – _____ – _____ – _____ – _____ – _____

d) 72 – 70 – 68 – 66 – _____ – _____ – _____ – _____ – _____

e) 54 – 58 – 62 – 66 – _____ – _____ – _____ – _____ – _____

Un bingo à déchiffrer

L'enseignante de Croque-Math a organisé un superbingo
pour fêter la première semaine d'école.
Parmi les cinq élèves suivants, trouve celui ou celle qui a gagné.

B	I	N	G	O
6	19	39	48	63
1	22	31	52	61
12	17	*	60	68
4	25	34	56	73
10	29	40	53	75

Karine

B	I	N	G	O
4	23	36	46	71
13	16	41	48	60
2	30	*	49	73
7	29	32	53	69
11	18	44	60	74

Vanessa

B	I	N	G	O
3	20	45	60	66
15	18	33	59	72
14	29	*	46	68
9	26	32	50	62
7	24	42	54	70

Simon

B	I	N	G	O
10	21	35	58	67
6	17	43	47	68
2	27	*	51	63
5	24	37	59	71
13	22	39	55	62

Gabriel

B	I	N	G	O
9	16	38	47	65
15	23	40	49	70
8	26	*	57	72
14	28	36	53	64
1	19	39	56	69

Louise

**Fais un X sur les nombres que tu retrouves dans les cartes de bingo.
Le gagnant ou la gagnante doit réussir une ligne diagonale.**

1. B → onze	9. G → quarante-sept	17. O → soixante et onze
2. G → cinquante-deux	10. I → vingt-huit	18. I → vingt-neuf
3. B → douze	11. O → soixante-treize	19. G → cinquante-neuf
4. O → soixante	12. B → un	20. O → soixante-trois
5. B → sept	13. B → dix	
6. I → dix-huit	14. O → soixante-quinze	
7. I → vingt-cinq	15. I → vingt-sept	
8. O → soixante-neuf	16. N → quarante-cinq	

Le gagnant ou la gagnante est : _____

C'est une question d'habileté !

Croque-Math s'amuse à trouver les réponses
à des questions d'habileté en mathématique
dans la revue *Les petits génies*.
Aide-la à compléter ces pages.

1. Trouve tous les nombres compris entre 0 et 100 qui contiennent au moins un 7.

   _____

2. Quel est le nombre formé de 7 unités et 3 dizaines ?

   _____

3. Combien y a-t-il de chiffres dans le nombre 53 ?

   _____

4. Regarde bien cette suite de nombres : 63-64-65-66. Est-elle en ordre croissant ou décroissant ?

   _____

5. Quelle est la somme de 9 et de 7 ?

   _____

6. Combien peut-on faire de paquets de 10 bâtonnets avec 80 bâtonnets ?

   _____

7. Quel est le nombre compris entre 60 et 70 qui a un 3 à la position des unités ?

   _____

8. Quelle est la différence entre 13 et 5 ?

   _____

9. Ajoute 2 dizaines au nombre 36.

   _____

10. Combien existe-t-il de chiffres ?

    _____

Le fameux «carré magique»...

Dans un carré magique, la somme est toujours la même dans chaque rangée, chaque colonne et chaque diagonale. Place les chiffres 1, 3, 4, 7, 8 et 9 dans le carré magique suivant.

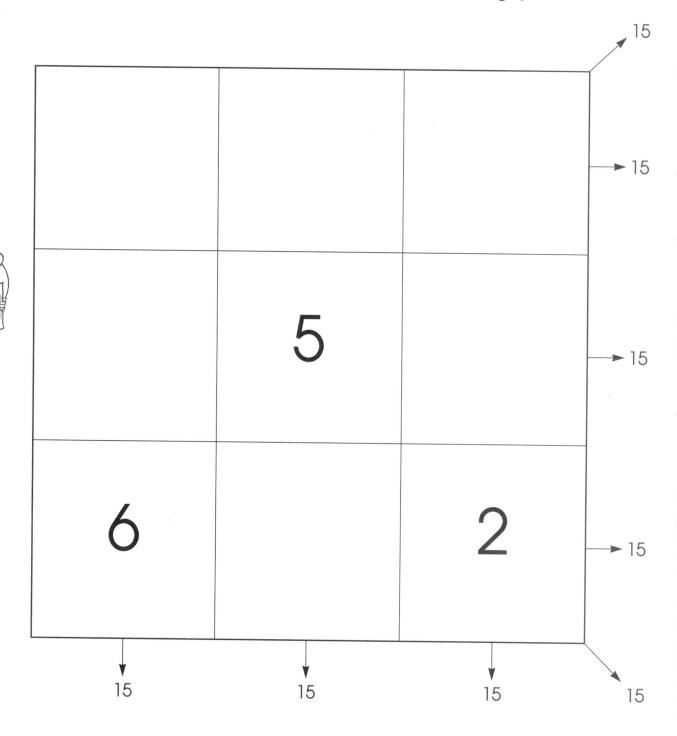

À vos crayons...
un peu de révision!

1 Additionnons!...

28	35	60	72	46	53
+ 11	+ 23	+ 17	+ 10	+ 53	+ 25

... avec retenues!

83	67	39	58	95	72
+ 17	+ 25	+ 34	+ 37	+ 68	+ 19

2 Soustrayons!...

56	64	72	87	48	77
− 35	− 51	− 60	− 22	− 14	− 67

... avec emprunts!

90	87	56	93	65	100
− 23	− 28	− 38	− 36	− 17	− 19

13

À chacun ses goûts

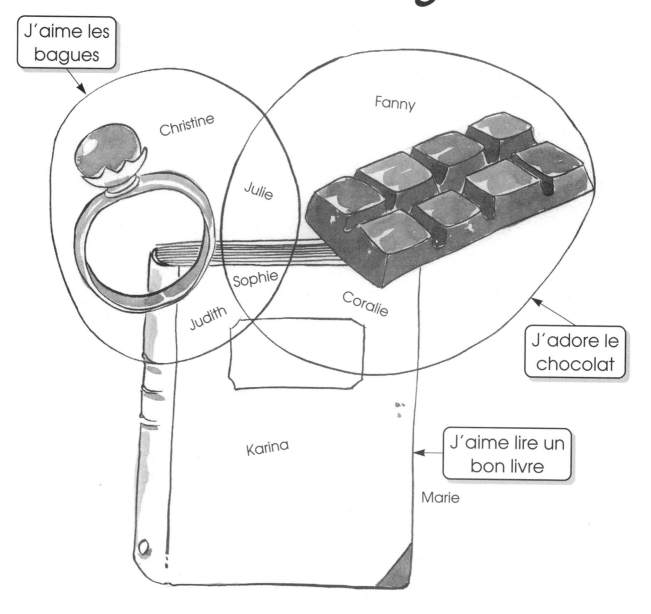

J'aime les bagues

Christine

Fanny

Julie

Sophie

Coralie

Judith

J'adore le chocolat

Karina

J'aime lire un bon livre

Marie

Écris les préférences de chaque fille.

Karina : _____

Christine : _____

Julie : _____

Judith : _____

Sophie : _____

Fanny : _____

Coralie : _____

Marie : _____

14

Le marché des aubaines

Croque-Math a obtenu beaucoup d'argent scolaire à l'école.
Elle regarde ce que ses amis ont reçu et se demande bien
ce qu'ils pourront s'offrir au marché des aubaines.
Réponds aux questions ci-dessous.

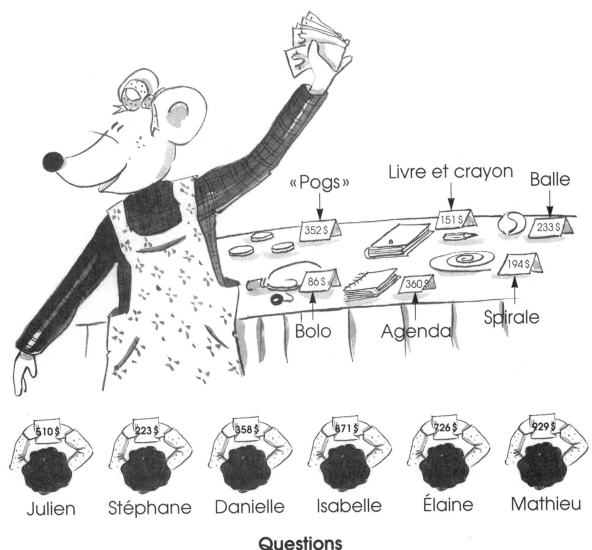

«Pogs» 352 $ — Livre et crayon 151 $ — Balle 233 $ — 194 $ Spirale — Bolo 86 $ — Agenda 360 $

Julien 510 $ — Stéphane 223 $ — Danielle 358 $ — Isabelle 871 $ — Élaine 726 $ — Mathieu 929 $

Questions

1. Qui a reçu le plus d'argent scolaire? _____

2. Que pourra s'acheter Stéphane avec son argent? _____

3. Quelle est la différence d'argent entre Isabelle et Julien? _____

4. Combien d'argent Stéphane et Danielle ont-ils ensemble? _____

5. Si Mathieu achète les « pogs », combien lui restera-t-il d'argent? _____

Le nombre caché

Pour trouver le nombre qui est caché,
suis bien les consignes ci-dessous.

36	91	79	98	85	97	43	16
73	13	49	20	32	60	92	75
46	55	93	84	10	72	33	83
28	67	40	24	51	96	14	27
90	23	80	17	70	19	87	12
71	18	22	94	37	15	30	44
65	95	53	81	78	63	41	82
48	39	21	99	31	86	50	11

Le nombre caché

est le :

Fais un X sur :

1. tous les nombres compris entre 60 et 70.
2. les nombres compris entre 17 et 47 lorsqu'on compte par bonds de dix.
3. les nombres de 73 à 81.
4. les nombres plus grands que 13 et plus petits que 55 se terminant par 4.
5. les nombres qui ont un 1 comme dizaine.
6. les nombres compris entre 22 et 72 lorsqu'on compte par bonds de dix.
7. tous les nombres qui ont (4 + 5 =) _____ dizaines.
8. le nombre qui vient immédiatement avant 87.
9. tous les nombres compris entre 69 et 90
10. tous les nombres qui ont un 3 à la position des unités.
11. les nombres de la suite 0, 10, _____, _____, _____, _____.
12. tous les nombres compris entre 20 et 50.
13. le nombre qui vient immédiatement après 54.

Plus petit, plus grand ou égal ?

1. Croque-Math et ses amis ont vidé leur tirelire. Ils s'amusent avec des montants d'argent pour savoir qui en a le plus, le moins ou si c'est égal. Place les signes appropriés dans les carrés.

a) Croque-Math   ou   Judith

(25¢) (10¢) (5¢) (5¢)   [ ]   (10¢) (25¢) (5¢) (1¢)

b) Philip   ou   Croque-Math

(10¢) (10¢) (10¢)   [ ]   (25¢) (1¢) (1¢) (1¢) (1¢) (1¢)

c) Judith   ou   Philip

(5¢) (5¢) (5¢) (10¢)   [ ]   (25¢) (10¢) (5¢)

d) Croque-Math   ou   Claudia

(1¢) (5¢) (25¢) (10¢) (1¢)   [ ]   (10¢) (10¢) (10¢) (10¢) (1¢) (1¢)

e) Claudia   ou   Judith

(10¢) (10¢) (5¢) (5¢) (5¢) (5¢) (1¢)   [ ]   (25¢) (1¢)

2. Croque-Math a un devoir à terminer. Aide-la en remplissant les cercles vides.

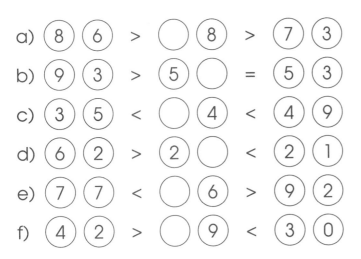

a) (8) (6) > ( ) (8) > (7) (3)

b) (9) (3) > (5) ( ) = (5) (3)

c) (3) (5) < ( ) (4) < (4) (9)

d) (6) (2) > (2) ( ) < (2) (1)

e) (7) (7) < ( ) (6) > (9) (2)

f) (4) (2) > ( ) (9) < (3) (0)

Une œuvre artistique !

L'oncle de Croque-Math est peintre. Croque-Math trouve ça rigolo
de retrouver toutes sortes de lignes sur la toile de son oncle.
C'est vraiment moderne !

Choisis trois crayons de couleur : un bleu, un rouge et un vert.
Colorie d'abord chaque ligne de la toile d'une couleur de ton choix.
Va ensuite reproduire chacune de ces lignes
dans la colonne appropriée du tableau.

	Lignes simples		Lignes non simples	
	brisées	non brisées	brisées	non brisées
Lignes fermées				
Lignes non fermées				

De quoi ça a l'air, l'aire ?

Croque-Math veut acheter un tapis pour mettre à côté de son lit. Elle a l'embarras du choix, mais elle voudrait avoir le plus grand tapis.

> Calculer l'aire d'une figure, c'est trouver la grandeur de sa surface.

1. Encercle le tapis que Croque-Math choisira. Pour t'aider, sépare chaque tapis en carrés-unités.

1

2

3

4

5

2. Place les figures suivantes en ordre décroissant selon la surface qu'elles occupent.

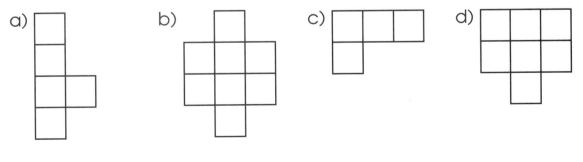

a)

b)

c)

d)

Ordre décroissant : _____

19

La maison de Croque-Math

Croque-Math a dessiné le plan de sa maison. Il ne lui reste qu'à le colorier. Aide-la en suivant bien les consignes ci-dessous.

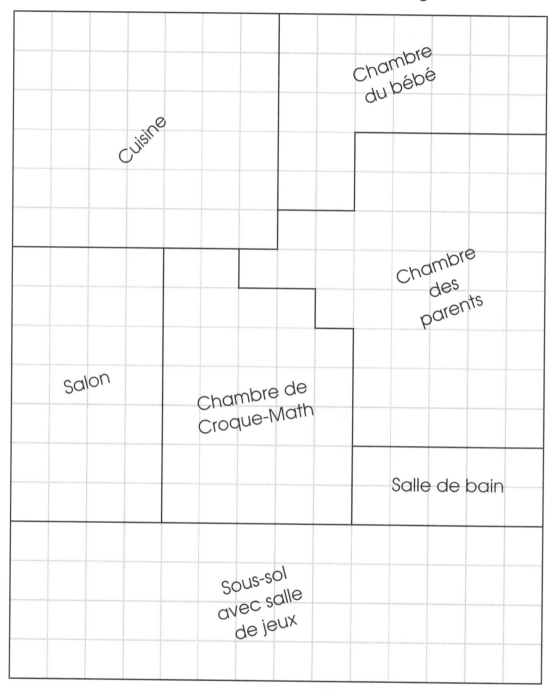

Colorie en ordre croissant les pièces de la maison selon la surface qu'elles occupent.

1. Bleu (la plus petite)
2. Rouge (2ᵉ)
3. Vert (3ᵉ)
4. Jaune (4ᵉ)

5. Rose (5ᵉ)
6. Orange (6ᵉ)
7. Mauve (la plus grande)

Les blocs

Croque-Math a reçu un cadeau de sa marraine. Elle s'est empressée de jouer avec ses nouveaux blocs de toutes les formes.

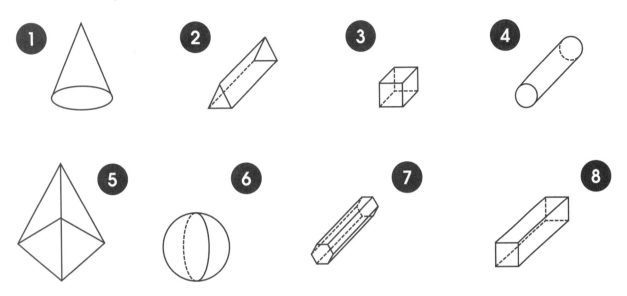

Croque-Math se demande combien de faces de chacune des figures ci-dessous les blocs possèdent.
Écris le nombre de faces approprié correspondant à chaque bloc.

Solide	Figures				
	Triangle	Cercle	Rectangle	Carré	Hexagone
1					
2					
3					
4					
5					
6					
7					
8					

21

À parts égales !

Fais un X sur les objets qui sont symétriques.

Une hauteur à sa mesure...

Croque-Math se demande si on doit utiliser un mètre ou un décimètre pour mesurer les différents éléments qu'elle a vus en se promenant ce matin. Aide-la en faisant un ✗ dans la bonne colonne.

	dm	m
1		
2		
3		
4		
5		
6		
7		

23

À chaque objet sa mesure!

Savais-tu que
10 dm et 100 cm = 1 m?

Croque-Math a fait un devoir sur les mesures.
Corrige ses fautes en répondant par vrai ou faux. Est-ce possible?

Objet	Mesure	Vrai ou faux?
○ 1. Crayon de bois	12 cm	
2. Règle	3 dm	
3. Chaise	3 m	
4. Feuille mobile	5 dm	
5. Gomme à effacer	2 dm	
○ 6. Bureau	13 cm	
7. Tableau	4 m	
8. Corbeille à papier	1 m et 3 dm	
9. Porte	2 m	
10. Fenêtre	1 dm et 4 cm	
11. Brocheuse	6 cm	
○ 12. Calendrier	50 dm	

24

Je grandis, moi aussi !

Croque-Math doit remettre en ordre les pages de son journal de bébé.
Ces pages indiquent la taille qu'elle mesurait à plusieurs âges. Aide-la !

À 1 an

Je mesurais 8 dm

À 4 ans

1 m et 5 cm

À 6 mois

67 cm

Dans le ventre de maman

2 dm et 5 cm

À 2 mois

59 cm

À 6 ans

1 m et 20 cm

À 8 ans

1 m et 25 cm

Place les mesures en ordre croissant.

25

Joyeux anniversaire, Croque-Math !

Trace une carte d'anniversaire rectangulaire pour Croque-Math, de 15 cm de largeur sur 20 cm de hauteur. Écris-lui un petit message à l'intérieur...

26

Mathé-lexique

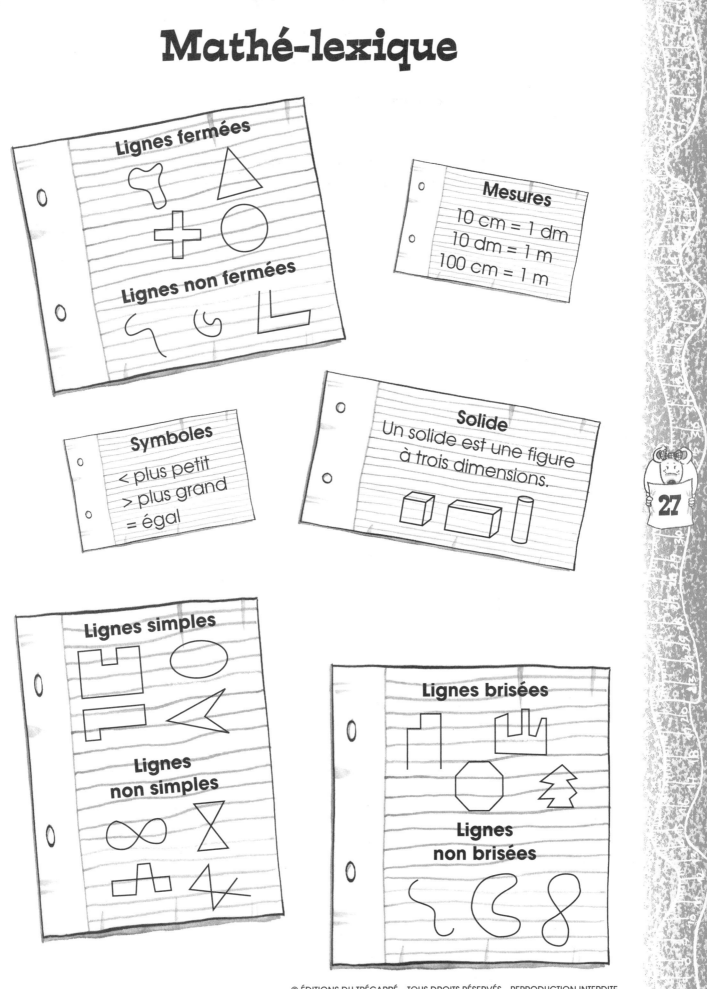

Lignes fermées

Lignes non fermées

Mesures

10 cm = 1 dm
10 dm = 1 m
100 cm = 1 m

Symboles

< plus petit
> plus grand
= égal

Solide
Un solide est une figure à trois dimensions.

Lignes simples

Lignes non simples

Lignes brisées

Lignes non brisées

27

Un « casse-tête » de nombres

Croque-Math adore se « casser la tête ». Elle t'a fabriqué un petit jeu.
Trouve ce que signifient les flèches et complète cette feuille.

 = _____

→ = _____

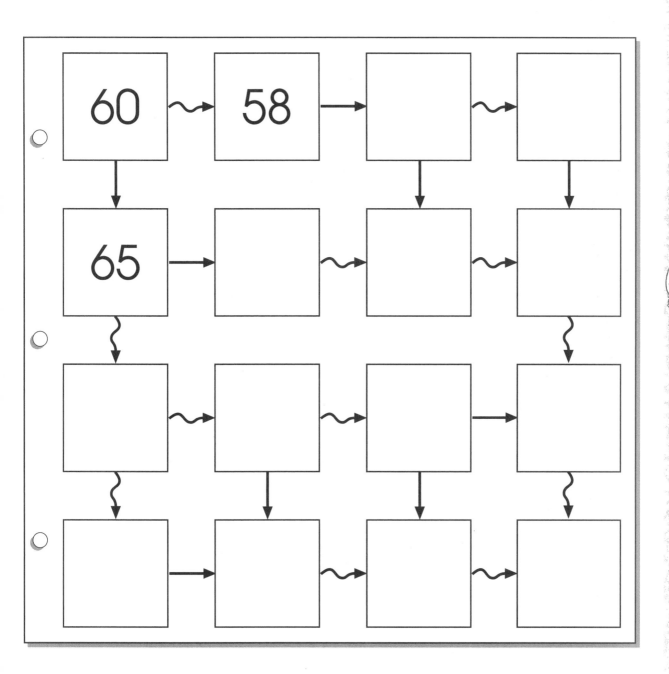

Des nombres à classer

1. Croque-Math aide sa mère à classer des fiches de recettes. Il y en a beaucoup. Aide-la en replaçant les nombres du rectangle dans la bonne fiche.

423	632	719	266	878
513	479	127	545	951

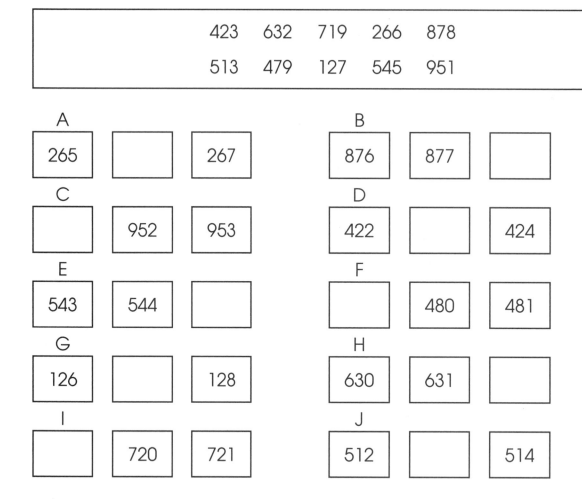

A
| 265 | | 267 |

B
| 876 | 877 | |

C
| | 952 | 953 |

D
| 422 | | 424 |

E
| 543 | 544 | |

F
| | 480 | 481 |

G
| 126 | | 128 |

H
| 630 | 631 | |

I
| | 720 | 721 |

J
| 512 | | 514 |

2. a) Souligne les chiffres qui occupent la position des dizaines.

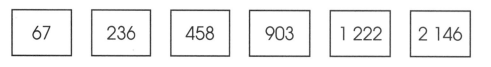

| 67 | 236 | 458 | 903 | 1 222 | 2 146 |

b) Souligne les chiffres qui occupent la position des centaines.

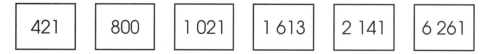

| 421 | 800 | 1 021 | 1 613 | 2 141 | 6 261 |

Bijouterie La Coquetterie

Croque-Math et son père se rendent à la petite bijouterie du coin.
Ils doivent y acheter un cadeau pour l'anniversaire de maman.

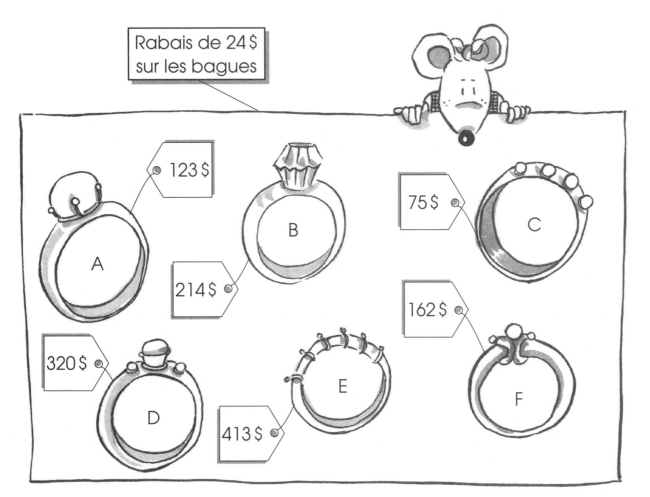

1. Quel est le prix de la bague la moins chère? _____

2. Quel est le prix de la bague la plus chère? _____

3. Quel sera le prix de la bague E après le rabais? _____

4. Quelle est la différence de prix entre la bague F et la bague C
   (avant le rabais)? _____

5. Croque-Math et son père choisissent la 2ᵉ bague la moins chère.
   Combien coûtera-t-elle après le rabais? _____

Souris « gobe-fro »

Croque-Math adore le fromage.
Aide-la à entrer dans le labyrinthe pour retrouver tous les fromages
et à en ressortir sans passer plus d'une fois par le même chemin.

Un jeu époustouflant!

Trouve les réponses des soustractions suivantes.
Biffe les réponses au bas de la page. Les réponses (lettres)
qu'il te restera formeront la réponse.

	Calculs			Calculs
1 $576 - 171 =$ _____		**2** $785 - 303 =$ _____		
3 $65 - 21 =$ _____		**4** $237 - 208 =$ _____		
5 $919 - 481 =$ _____		**6** $163 - 89 =$ _____		
7 $335 - 276 =$ _____		**8** $357 - 148 =$ _____		
9 $913 - 248 =$ _____		**10** $580 - 422 =$ _____		
11 $736 - 673 =$ _____		**12** $659 - 380 =$ _____		
13 $753 - 92 =$ _____		**14** $828 - 415 =$ _____		
15 $625 - 377 =$ _____		**16** $139 - 59 =$ _____		
17 $524 - 352 =$ _____		**18** $259 - 20 =$ _____		
19 $280 - 86 =$ _____		**20** $289 - 166 =$ _____		

74	U	59	W	29	M	123	R	194	Y
438	H	162	E	239	F	573	P	122	R
209	F	661	T	172	K	44	G	304	O
665	A	482	O	63	Z	425	I	405	S
80	X	158	Q	248	N	279	I	413	H

Le mot mystère est le nom d'un fruit.

La réponse est : _____

Et c'est le but !

Croque-Math et son père ont reçu des billets pour un match de hockey. Ils sont à la recherche de leur siège. Peux-tu les aider à l'aide des indices ci-dessous ?

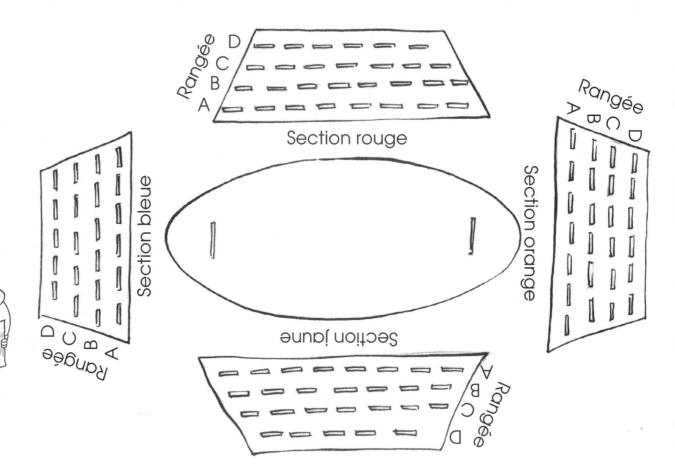

Fais un ✗ sur le bon siège.

- Croque-Math est assise dans une section d'une des couleurs d'un feu de circulation.

- Croque-Math est assise sur un siège d'une section dont la couleur signifie «arrêter».

- Elle est dans la 2ᵉ rangée du bord, 3ᵉ siège à partir de la droite.

Des chiffres manquants

Croque-Math a fait son devoir de mathématique, mais son frère s'est amusé à effacer certains chiffres. Aide-la à trouver ce qui manque.

1
```
  1 3 7
+ 1 □ 5
-------
  3 2 2
```

2
```
  1 7 6
+ 1 1 □
-------
  2 9 2
```

3
```
  2 □ 5
+ 2 4 3
-------
  4 6 8
```

4
```
  1 5 4
+ 2 1 7
-------
  3 □ □
```

5
```
  3 3 5
- 1 8 □
-------
  1 4 7
```

6
```
  2 □ 0
-   9 8
-------
  1 0 2
```

7
```
  4 5 2
- □ 7 5
-------
    7 7
```

8
```
  3 0 0
- 1 □ 0
-------
  1 5 0
```

9
```
  1 8 0
  1 8 0
+   □ 7
-------
  4 0 7
```

10
```
  1 4 8
  1 2 □
+ 1 5 6
-------
  4 □ 6
```

11
```
  5 2 □
  1 0 0
+ 2 0 0
-------
  □ □ 0
```

12
```
  2 3 1
  □ 2 6
+ □ 5 2
-------
  5 □ □
```

13
```
  2 7 5
- 1 □ 7
-------
  □ 4 □
```

14
```
  6 8 □
- 4 1 8
-------
  2 □ 7
```

15
```
  3 0 0
- □ 6 □
-------
  1 3 8
```

16
```
  □ 7 1
- 5 2 8
-------
  2 4 □
```

35

Des multiplications à profusion

* L'as vaut 1

Croque-Math joue aux cartes avec sa mère.
Chaque fois, chacune d'elles tourne une carte et il faut être
la première à dire la réponse de la multiplication des deux cartes.
Essaie, toi aussi, de trouver les cartes ou les réponses manquantes.

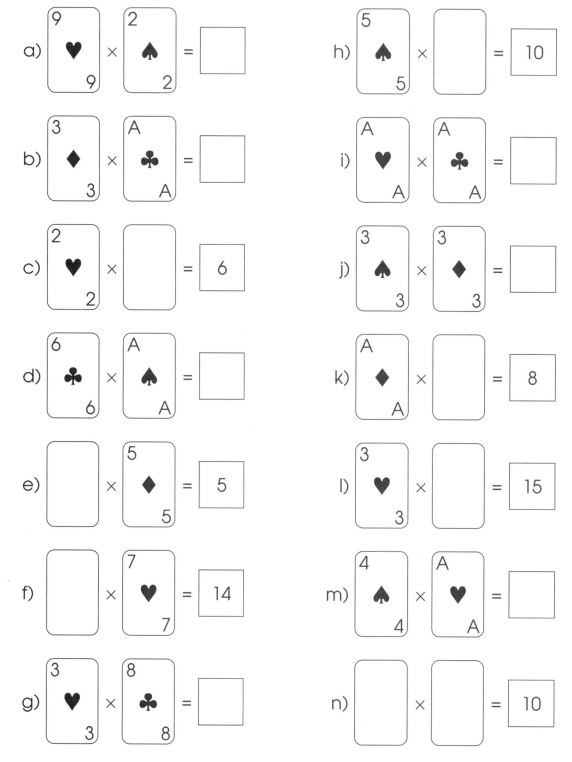

Des biscuits pour tous les goûts

Croque-Math aide sa tante à faire l'inventaire de sa fabrique de biscuits d'animaux. Voici la quantité restante de chaque sorte de biscuit.

586	856	658	568	685	865	786	876	768	678
renard	baleine	oiseau	chat	mouton	poule	bœuf	lapin	canard	chien

La tante de Croque-Math lui pose des devinettes mathématiques. Identifie la sorte de biscuit décrite par la tante.

a)	6 centaines 8 unités 5 dizaines	b)	5 unités 6 dizaines 8 centaines	c)	8 unités 5 centaines 6 dizaines
d)	86 + 500	e)	6 + 70 + 800	f)	600 + 70 + 8
g)	5 dizaines 6 unités 8 centaines	h)	7 centaines 6 dizaines 8 unités	i)	8 dizaines 7 centaines 6 unités
j)	8 + 700 + 60	k)	80 + 5 + 300 + 300	l)	300 + 8 + 60 + 400
m)	78 unités 6 centaines	n)	6 centaines 85 unités	o)	76 unités 8 centaines
p)	25 + 25 + 3 + 3 + 800	q)	250 + 30 + 30 + 250 + 4 + 4	r)	400 + 400 + 30 + 20 + 10 + 5

37

Nombres croisés, où vous cachez-vous?

Remplis la grille ci-dessous à l'aide des indices que Croque-Math t'a laissés.

Horizontalement

1. Nombre qui précède 26.
   Un nombre malchanceux.
   Nombre de jours dans une année.

2. 3 de plus que 17.
   Qui vient après 178.
   Dans une boîte, il y a 10 paquets de 10 crayons. Combien de crayons en tout?

3. $12 + 12 = ?$
   5 centaines, 3 unités et 2 dizaines.

4. $40 + 600 + 7 = ?$
   Il y a _____ secondes dans 2 minutes.

5. Combien d'argent font 2 billets de 50 $ et un billet de 10 $?
   Combien y a-t-il de jours au mois de décembre?

6. 2 unités et 6 dizaines.
   $130 + 65 + 13 = ?$
   Combien y a-t-il de chiffres?

Verticalement

A) 25 unités et 2 centaines.

B) Complète la suite :
   20-30-40- ?
   $2 \times 6 = ?$

C) 2 centaines.

D) $482 - 368 = ?$

E) 7 unités et 3 dizaines.
   $380 + 317 = ?$

F) Entre 953 et 955.

G) 3 unités, 7 dizaines et 2 centaines.

H) $3 \times 5 = ?$

I) $25 + 25 + 1 = ?$

J) $20 + 1 + 200 = ?$

Des cadenas à numéros

Croque-Math s'est acheté un cadenas à numéros pour son casier à l'école. Elle s'est amusée à dessiner plusieurs cadenas sur une feuille, mais a oublié certains nombres. Complète les cadenas en respectant les règles.

a)
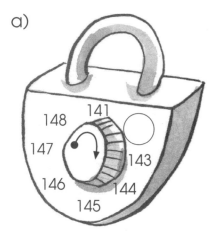

b)
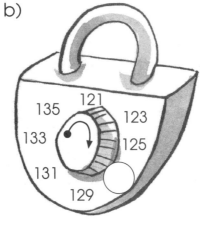

c)
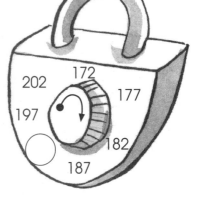

d)
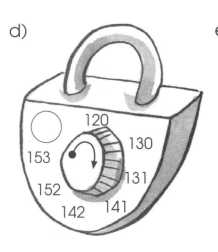

e)
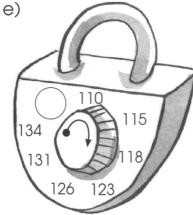

f)
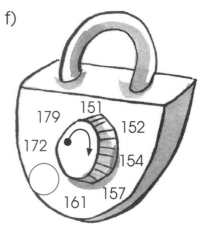

g)
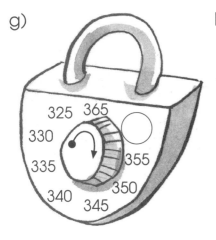

h)
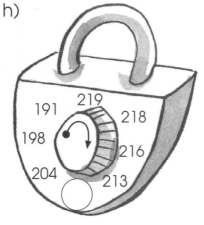

i)
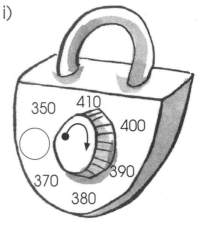

Multiplions, les champions!

Croque-Math organise un combat de tables de multiplication avec ses amis. Répondras-tu avant eux?

2 × 7 =	1 × 9 =	0 × 5 =
3 × 8 =	4 × 0 =	2 × 8 =
4 × 6 =	2 × 1 =	3 × 6 =
2 × 9 =	3 × 0 =	4 × 5 =
0 × 4 =	3 × 4 =	2 × 2 =
1 × 5 =	0 × 7 =	0 × 8 =
4 × 4 =	2 × 3 =	3 × 5 =
2 × 4 =	4 × 3 =	2 × 5 =
1 × 8 =	3 × 9 =	4 × 2 =
3 × 3 =	2 × 6 =	3 × 7 =

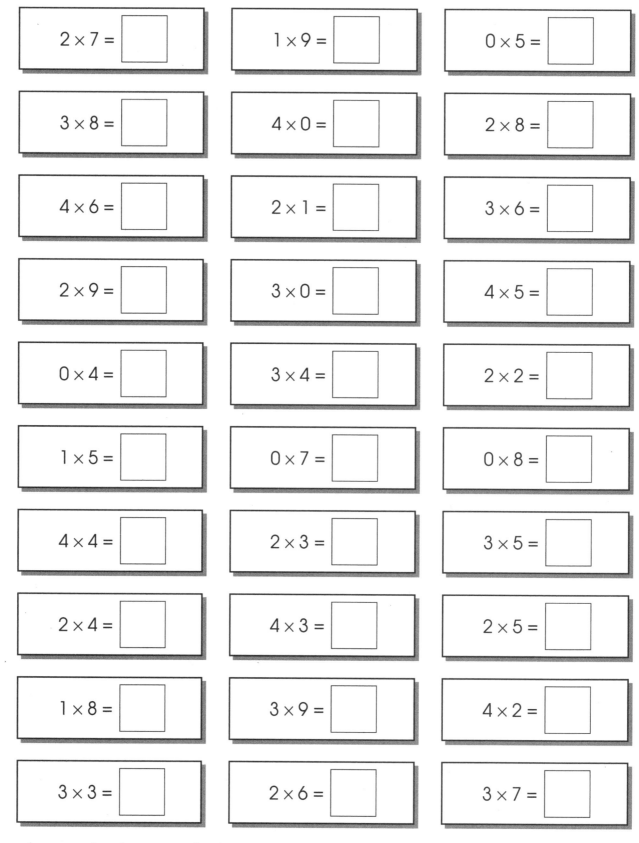

40

Une figure pas ordinaire...

1. Dessine la figure ci-dessous sans lever ton crayon et sans jamais passer deux fois sur la même ligne.

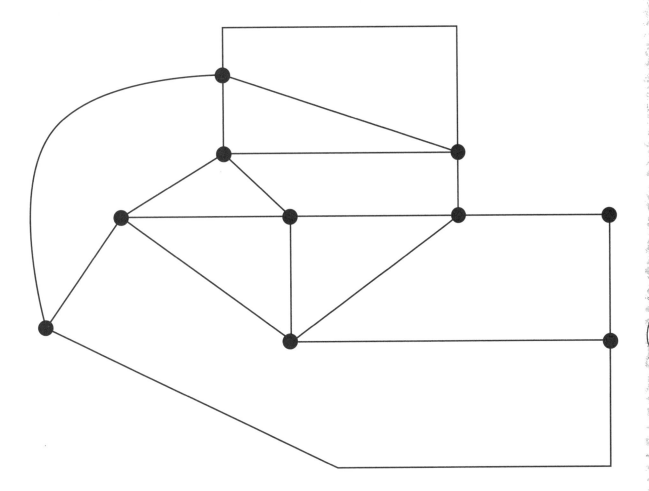

2. Combien y a-t-il de :

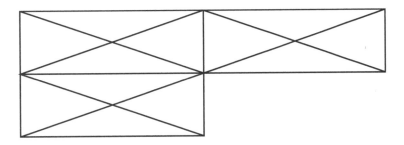

– rectangles ? _____

– triangles ? _____

Graphiques comiques

Les amis de Croque-Math lui ont fabriqué un petit jeu.
Aide-la en coloriant les cases demandées. Tu obtiendras des images.

 Colorie : (C,1) (C,2) (E,1) (E,2)
(D,3) (C,3) (E,3) (E,4) (E,5)
Quelle est l'image que tu vois ?

_____

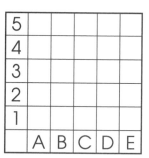

 Colorie : (B,1) (A,3) (B,2) (E,3) (C,5)
(D,4) (D,1) (B,4) (D,2) (C,2)
Quelle est l'image que tu vois ?

_____

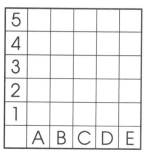

 Colorie : (B,2) (C,2) (D,2) (B,3) (C,3) (B,4)
Quelle est l'image que tu vois ?

_____

 Colorie : (B,1) (B,2) (B,3) (B,4) (B,5)
(D,1) (D,2) (D,3) (D,4) (D,5)
(C,1) (C,3) (C,5)
Quelle est l'image que tu vois ?

_____

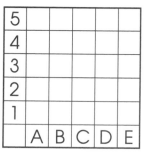

Un mobile solide

Croque-Math a fabriqué un mobile pour l'accrocher dans sa classe.

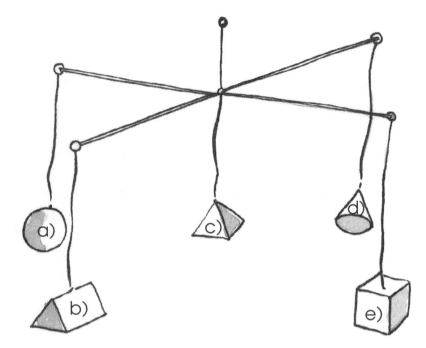

1. Nomme les solides qui composent le mobile.

   a) _____

   b) _____

   c) _____

   d) _____

   e) _____

2. Nomme les figures qui composent chaque solide du mobile.

   a) _____

   b) _____

   c) _____

   d) _____

   e) _____

Des «aires» bien connues !

Trouve l'aire des figures suivantes.

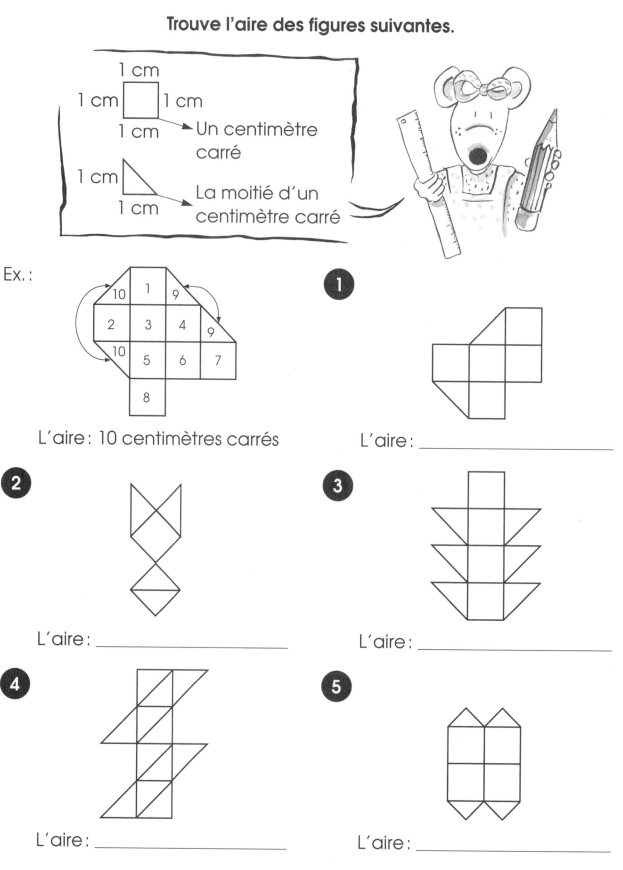

Ex. :

L'aire : 10 centimètres carrés

1 L'aire : _____

2 L'aire : _____

3 L'aire : _____

4 L'aire : _____

5 L'aire : _____

Des moitiés à retrouver

Croque-Math a reçu un jeu de symétrie en cadeau.
Elle doit reproduire l'autre moitié de chaque dessin. Aide-la!

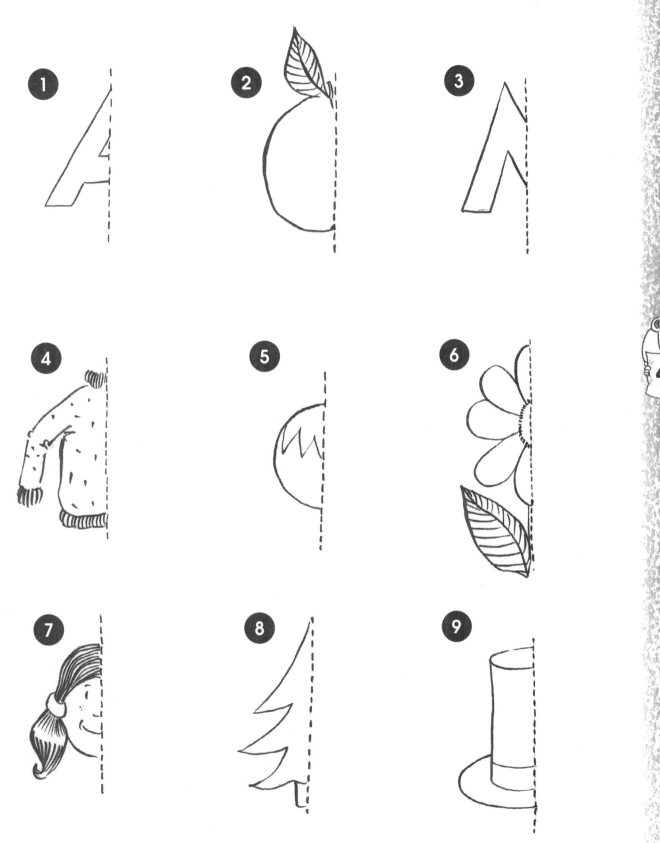

Des chemins à emprunter

Karine, la copine de Croque-Math, aimerait bien essayer tous les instruments de musique. Quel chemin devra-t-elle emprunter si elle essaie tous les instruments sans passer deux fois sur la même case?

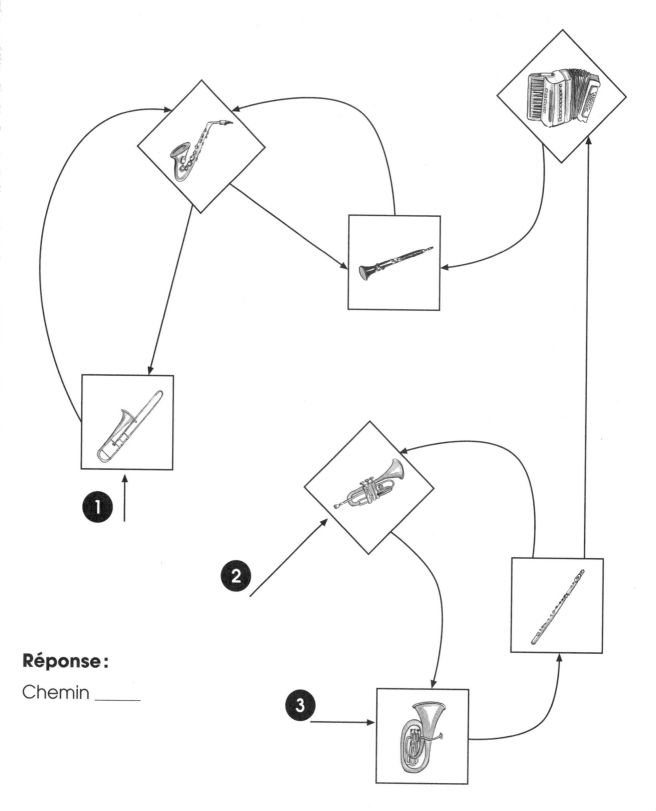

Réponse :

Chemin _____

Colorie le parcours en couleurs

Un point d'intersection très spécial

Croque-Math veut rencontrer son frère au coin des rues Fromagiou et Regouda.

Fais un **X** à l'endroit où ils se rencontreront.

Colorie les points : – d'intersection en vert
– de relais en bleu
– terminaux en rouge

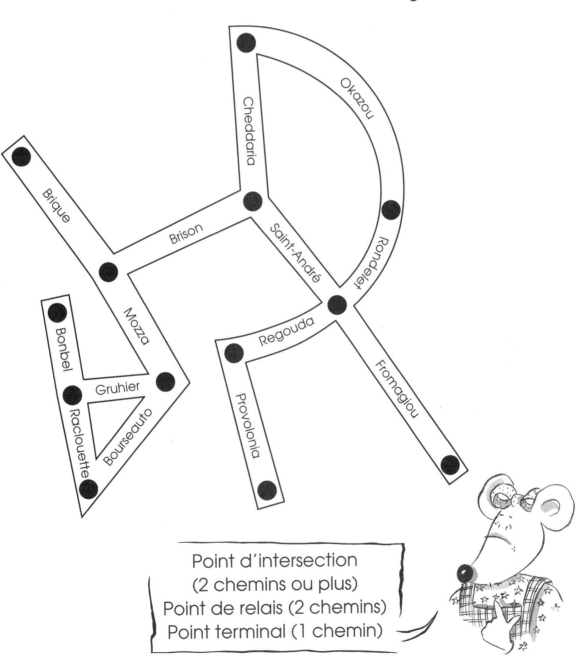

Point d'intersection
(2 chemins ou plus)
Point de relais (2 chemins)
Point terminal (1 chemin)

Un tapis sur mesure...

1. Le papa de Croque-Math doit acheter un tapis qui couvrira les marches de l'escalier du sous-sol. Combien de mètres et de décimètres devra mesurer ce tapis ?

Réponse :

_____

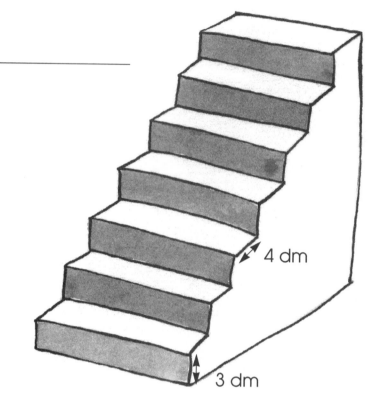

4 dm

3 dm

2. Complète le graphique (→)... est plus court que

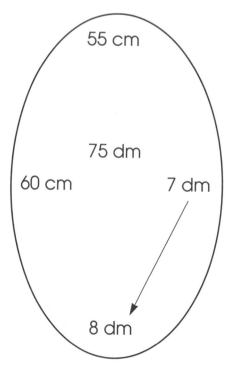

55 cm

75 dm

60 cm   7 dm

8 dm

48

Des trajets différents

Croque-Math veut savoir quel est le trajet le plus court
pour se rendre chez son amie. Mesure les trajets avec ta règle.
Encercle le trajet le plus court et fais un **X** sur le plus long.

C = Croque-Math   A = Amie

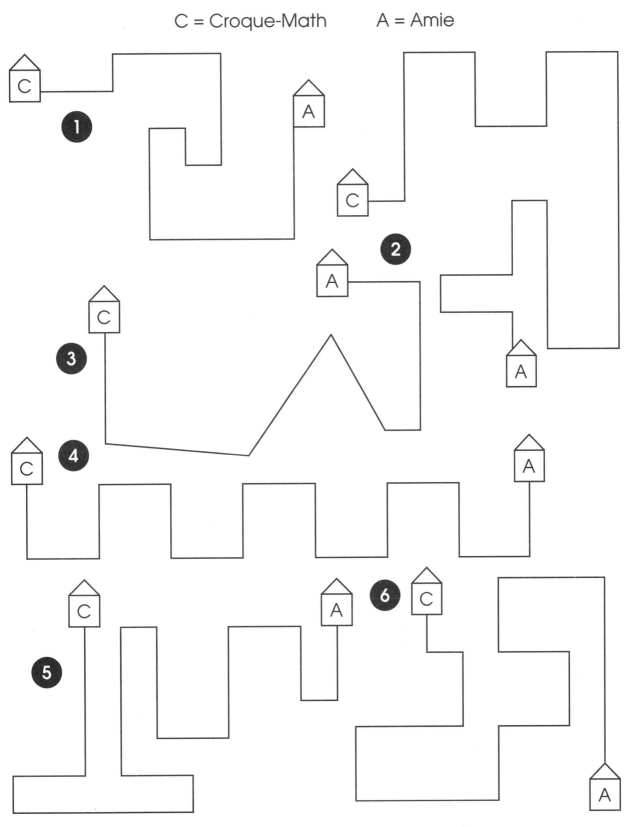

Vrai ou faux?

Observe bien les énoncés ci-dessous et réponds par vrai ou faux selon le cas.

	V	F
1. Un arbre peut mesurer 5 cm.		
2. Une femme peut mesurer 1 m et 8 dm.		
3. La longueur d'une automobile = 6 m.		
4. La hauteur d'une poubelle = 50 cm.		
5. Un pain croûté peut mesurer 4 dm.		
6. Un verre peut mesurer 3 dm de hauteur.		
7. La hauteur d'une fleur = 4 m.		
8. Une poire mesure environ 2 cm.		
9. La longueur d'une table = 6 cm.		
10. La longueur d'une règle = 30 cm.		
11. La hauteur d'un chapeau = 10 m.		
12. Un bas peut mesurer 2 dm de hauteur.		

50

Crayonnons un peu !

1. Refais cette figure d'un seul trait sans jamais lever le crayon. Commence au •.

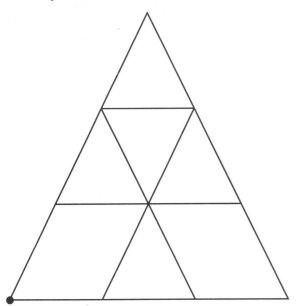

2. Refais la même chose ! Il y a deux solutions.

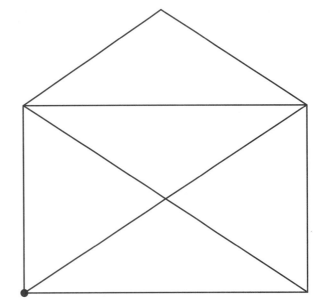

3. Refais la même chose ! Ne croise pas les lignes.

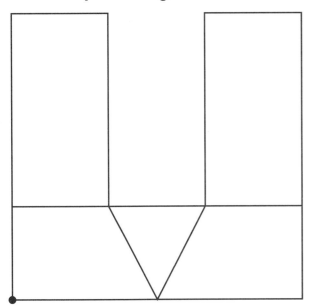

4. Trace ce dessin en deux fois, sans jamais lever le crayon.

51

Des activités pleines de rebondissements

Épreuve de ski alpin

Trois garçons et trois filles participent à des épreuves de ski alpin.
Les points accumulés et les résultats figurent au tableau. Cependant,
il manque certains points. En faisant les équations appropriées,
trouve les réponses aux points manquants.

Julia   34 + ____ + 51 = 148

Jonathan   62 + 49 + ____ = 207

Sophie   46 + 56 + 28 = ____

Pierrot   ____ + 73 + 84 = 265

Nina   29 + ____ + 66 = 198

Justin   90 + 60 + 37 = ____

Qui remporte la médaille d'or ? _____

d'argent ? _____

de bronze ? _____

Problèmes pour petits génies

1. Pendant l'anniversaire de Croque-Math, quatre de ses amis s'amusent avec le jeu de dards. À la fin de la première partie, voici les points qu'ils ont accumulés : 90 -100-130-160.

   À l'aide des indices ci-dessous, trouve le résultat de chacun.

   a) Croque-Géo a obtenu 30 points de moins que Croque-Arts.

   b) Avec 10 points de plus, Croque-Notes aurait eu le même total que Croque-Sciences.

   c) La sœur de Croque-Sciences a accumulé le plus grand nombre de points.

	90	100	130	160
Croque-Géo				
Croque-Notes				
Croque-Arts				
Croque-Sciences				

2. Carla, Martha et Nadia sont trois grandes amies. Elles discutent entre elles du fruit et du légume qu'elles préfèrent.

   Nadia est l'aînée.

   Carla est la plus jeune.

   À l'aide des indices, fais un ✗ dans la bonne case.

   a) L'aînée aime un légume orange.

   b) Celle qui aime les oranges adore les haricots.

   c) Les noms du fruit et du légume préférés de la plus jeune commencent par la même lettre.

   d) Celle qui préfère les carottes adore les poires.

Noms	bleuet	poire	orange	carotte	haricot	brocoli
Carla						
Martha						
Nadia						

54

Un cadenas spécial

Croque-Math s'est acheté un cadenas bien spécial. Pour qu'il s'ouvre, elle doit faire ceci : placer les flèches vis-à-vis de deux nombres dont la somme est égale à 27. Utilise tous les chiffres du tableau pour trouver toutes les combinaisons possibles.

9	8	10	13
21	19	11	20
17	16	6	15
7	14	18	12

27 = _____ + _____

27 = _____ + _____

27 = _____ + _____

27 = _____ + _____

27 = _____ + _____

27 = _____ + _____

27 = _____ + _____

27 = _____ + _____

Carrés magiques fantastiques

Invente trois carrés magiques.

N'oublie pas que le total de toutes les rangées doit être le même.

Résolution de problèmes

Résous les problèmes suivants.

1 Vendredi, Jude a parcouru 471 km en voiture.

Samedi, elle a parcouru 329 km.

Dimanche, elle a fait 506 km.

Vendredi, Steve a parcouru 8 km.

Quelle distance Jude a-t-elle parcourue vendredi et samedi ?

Réponse :

2 Paul avait 18 gommes à mâcher.

Il en a donné 2 à chacun de ses 6 camarades.

Combien lui en reste-t-il ?

Réponse :

3 Il y a 8 crayons dans une boîte.

Combien y en a-t-il dans 3 boîtes ?

Réponse :

4 Dans une animalerie, il y a 5 cages de chatons.

Il y a 3 cages de chats adultes.

Il y a 9 chatons par cage.

Combien y a-t-il de chatons dans le magasin ?

Réponse :

5 Louise a joué au tennis avec Léona pendant 25 minutes, puis avec Nina pendant 25 autres minutes.

Pendant combien de temps Louise doit-elle encore jouer si elle s'exerce pendant une heure complète ?

Réponse :

Vite à l'action avec ces additions et soustractions!

Trouve les réponses aux opérations suivantes.

1

432	613	323	731	525	212	152
+ 421	+ 264	+ 566	+ 137	+ 353	+ 642	+ 714

175	167	482	350	789	793	265
+ 685	+ 693	+ 399	+ 350	+ 81	+ 98	+ 188

2

924	947	965	857	777	798	879
− 123	− 834	− 531	− 422	− 520	− 436	− 535

941	945	876	890	925	832	900
− 786	− 897	− 629	− 418	− 38	− 55	− 399

3

28	72	96	67	58	63	44
31	39	42	31	35	70	55
+ 56	+ 27	+ 19	+ 25	+ 69	+ 39	+ 66

86	141	206	348	432	625	967
− 42	− 56	− 84	− 101	− 229	− 246	− 348

− 26	− 18	− 62	− 29	− 99	− 123	− 201

58

D'épatantes machines à boules!

Croque-Math adore se retrouver entre amis à la salle de jeux électroniques de son quartier. Son jeu préféré? Les machines à boules, bien sûr! Elle a organisé un concours. Trouve le pointage obtenu par chacune des personnes à ce concours.

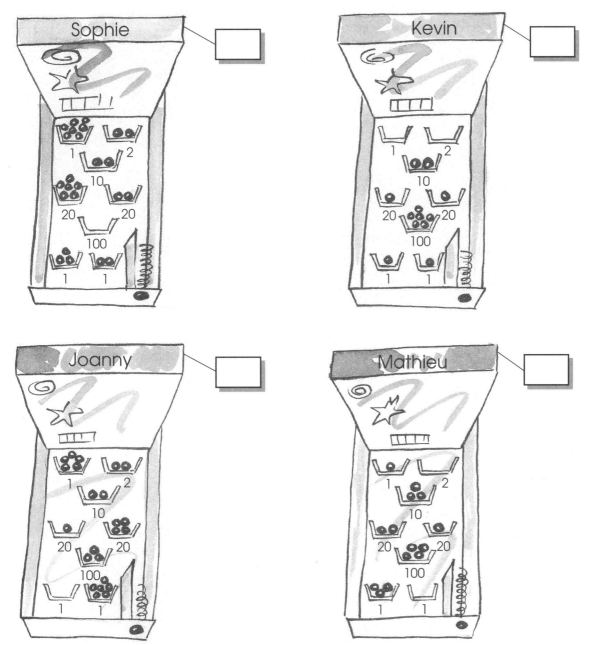

1. Écris le total des points de chacun dans l'étiquette correspondante.

2. Qui a gagné le concours? _____

Maisons à vendre!

La tante de Croque-Math est agente d'immeubles. Elle veut faire un catalogue avec les photos des maisons qu'elle doit vendre. Elle doit placer ses photos en ordre. Sur la ligne au bas de la page, écris les numéros des photos en ordre croissant.

ORDRE CROISSANT

_____

Décomposons et recomposons!

Croque-Math décompose et recompose des nombres. Aide-la!

1 Décompose ces nombres de deux façons.

a) 117 = ☐ + ☐ + ☐

    117 = ☐ + ☐

b) 235 = ☐ + ☐ + ☐

    235 = ☐ + ☐

c) 191 = ☐ + ☐ + ☐

    191 = ☐ + ☐

d) 2 173 = ☐ + ☐ + ☐ + ☐

    2 173 = ☐ + ☐

e) 1 322 = ☐ + ☐ + ☐ + ☐

    1 322 = ☐ + ☐

2 Recompose ces nombres.

a) 300   + 7   + 20   = ☐

b) 35   + 3   + 400   = ☐

c) 6   + 2 000 + 600   + 10   = ☐

d) 500   + 50   + 1   = ☐

e) 40   + 2   + 100   + 1 000   = ☐

f) 9   + 700   + 30   = ☐

g) 3 000 + 8   + 200   = ☐

h) 900   + 5   = ☐

i) 60   + 15   + 300   = ☐

j) 100   + 10   + 1   = ☐

61

Petits jeux « mathélogiques »

1 Croque-Math a un petit ami de cœur. Place les cœurs en ordre décroissant avec leurs lettres et tu découvriras le nom de cet ami.

♡ B 79   ♡ T 66   ♡ A 73   ♡ S 69   ♡ É 83

♡ E 42   ♡ S 98   ♡ N 18   ♡ I 53

Réponse : _____

2 Fais un ✗ sur les couples de nombres dont la somme est 43. Il ne doit rester aucun nombre.

✗20	11	13	21	19
18	30		31	26
33				10
38	17		25	5
22	24	12	32	✗23

Écris tes équations ici.

1. 20
    + 23
2.   3.   4.   5.

6.   7.   8.   9.   10.

3 Ajoute les chiffres qui manquent pour que le total soit égal à 23 de chaque côté du triangle. Tu dois choisir parmi les chiffres suivants : 1, 2, 3, 7 et 8.

Un dessin de multiplications

Croque-Math s'amuse à faire des multiplications. Elle a un peu de difficulté à se souvenir des réponses.

À ton tour de trouver les réponses aux multiplications.

Vérifie tes réponses par une ligne suivie dans le tableau et tu obtiendras un dessin.

$5 \times 6 =$ _____

$1 \times 8 =$ _____

$4 \times 8 =$ _____

$3 \times 0 =$ _____

$5 \times 7 =$ _____

$4 \times 7 =$ _____

$3 \times 8 =$ _____

$5 \times 9 =$ _____

$3 \times 7 =$ _____

$2 \times 8 =$ _____

$1 \times 5 =$ _____

$4 \times 9 =$ _____

$3 \times 9 =$ _____

$4 \times 4 =$ _____

$3 \times 10 =$ _____

$5 \times 4 =$ _____

$1 \times 9 =$ _____

$3 \times 6 =$ _____

$2 \times 7 =$ _____

$1 \times 7 =$ _____

$6 \times 6 =$ _____

1	50	65	11	46	59	25	22	61	65
53	15	25	51	2	61	85	4	39	37
23	42	13	17	18	91	98	71	64	41
11	63	90	9	14	59	44	39	93	52
29	47	20	86	7	79	62	97	19	60
9	30	16	27	36	5	16	21	45	77
13	31	8	32	0	35	28	24	64	49
34	6	17	39	88	91	66	50	56	43

63

Le dessin :

Je suis un moyen de transport.

Réponse : _____

Des coordonnées magiques

En regardant l'exemple, trouve les coordonnées
où se trouvent les petits dessins.

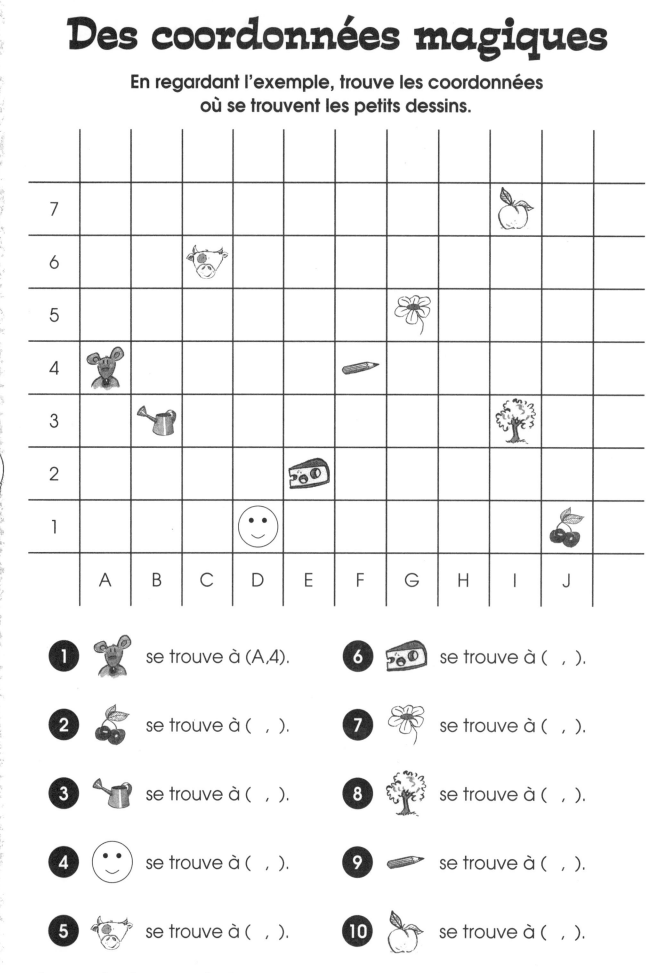

1 se trouve à (A,4).

2 se trouve à (,).

3 se trouve à (,).

4 se trouve à (,).

5 se trouve à (,).

6 se trouve à (,).

7 se trouve à (,).

8 se trouve à (,).

9 se trouve à (,).

10 se trouve à (,).

Une collection de feuilles

Croque-Math a ressorti sa vieille collection de feuilles d'automne.
Elle te demande de retrouver la seule feuille qui est symétrique
parmi les suivantes.

Une géométrie tout en couleurs!

Colorie de la même couleur les côtés congrus de chaque figure.

Souviens-toi que des côtés congrus ont toujours la même longueur.

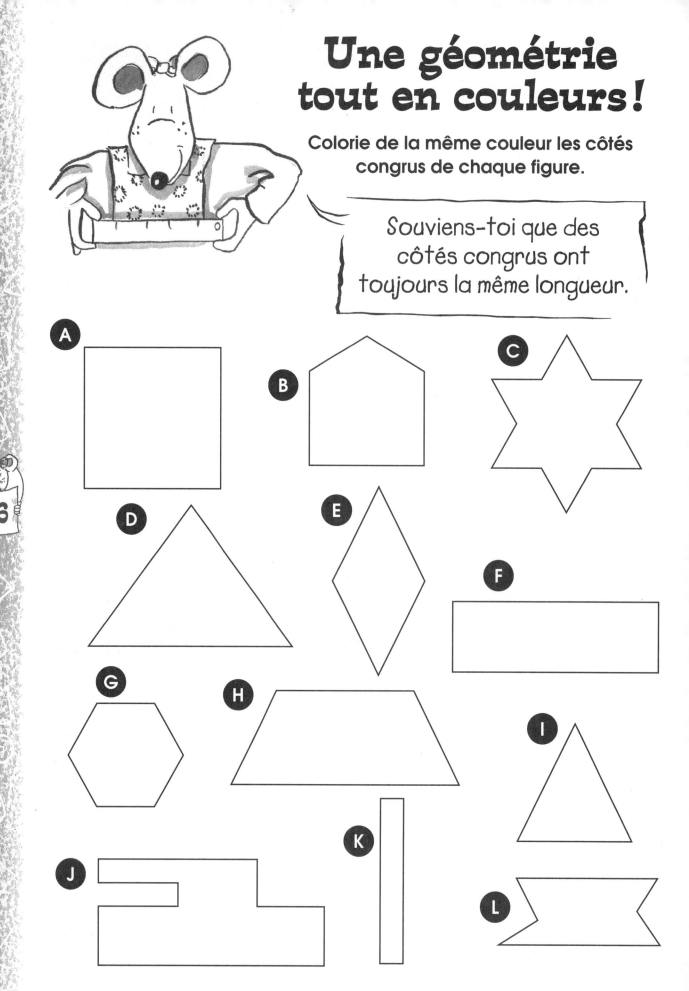

Des polyèdres plein la caboche!

Voici les modèles de porte-crayons que Croque-Math observe
à la papeterie. Cela lui fait penser aux solides géométriques.
À partir de ces modèles, remplis le tableau ci-dessous.

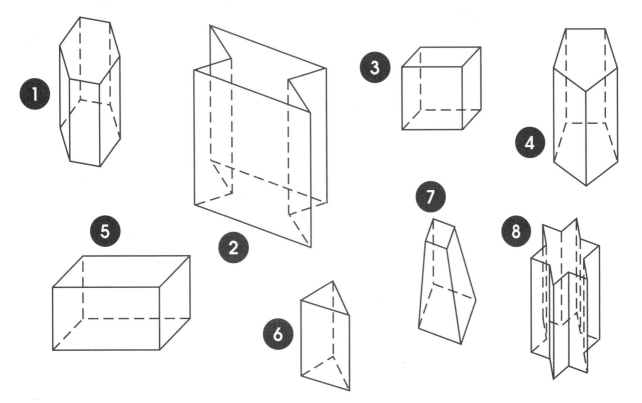

	1	2	3	4	5	6	7	8
Nombre de carrés								
Nombre de rectangles								
Nombre de triangles								
Nombre de faces								
Nombre de sommets								
Nombre d'arêtes								
Solide concave								
Solide convexe								

De solides questions

1 Peux-tu classer les solides dans le diagramme suivant?

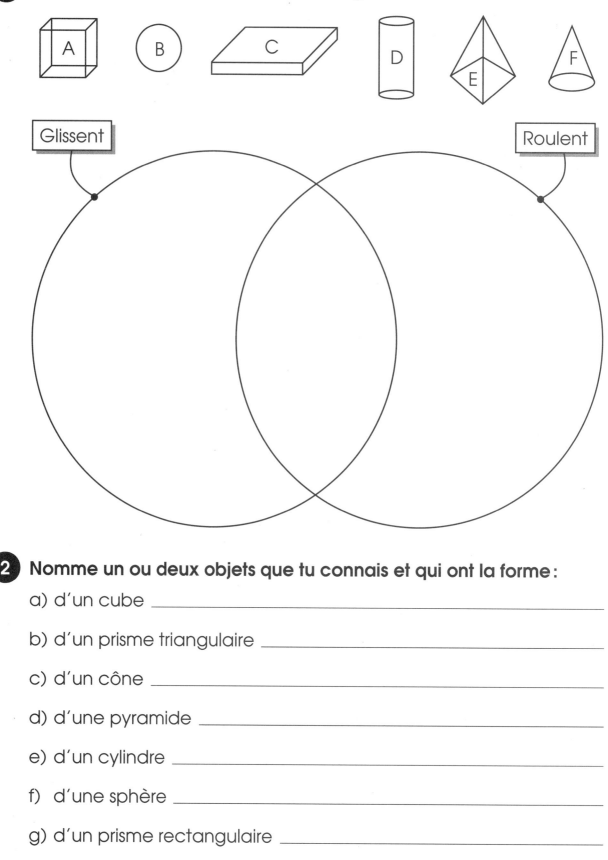

2 Nomme un ou deux objets que tu connais et qui ont la forme :

a) d'un cube _____

b) d'un prisme triangulaire _____

c) d'un cône _____

d) d'une pyramide _____

e) d'un cylindre _____

f) d'une sphère _____

g) d'un prisme rectangulaire _____

Des angles droits ou pas?

1 Croque-Math a appris aujourd'hui ce qu'est un angle droit. Parmi les figures ci-dessous, trouve celles qui possèdent un ou des angles droits et encercle-les.

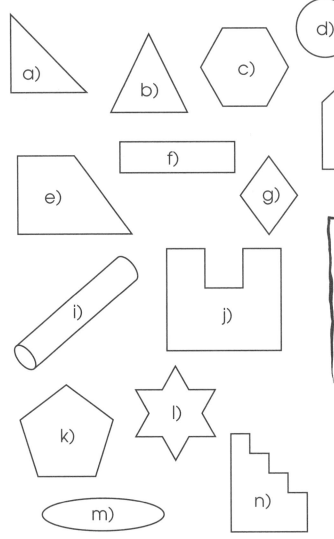

Un angle droit, est représenté par deux droites qui se rencontrent et qui forment un « L » majuscule, comme le coin d'un tableau.

2 Quels sont les objets faisant partie de ta vie qui possèdent un ou plusieurs angles droits?

Ex.: un cahier

_____   _____

_____   _____

_____   _____

_____   _____

_____   _____

Un dallage aveuglant!

Utilise ta créativité et colorie une personne,
un animal ou une chose dans ce dallage.

Attention! Tu ne peux pas passer à travers les lignes
et tu dois colorier tout l'espace dont tu as besoin.

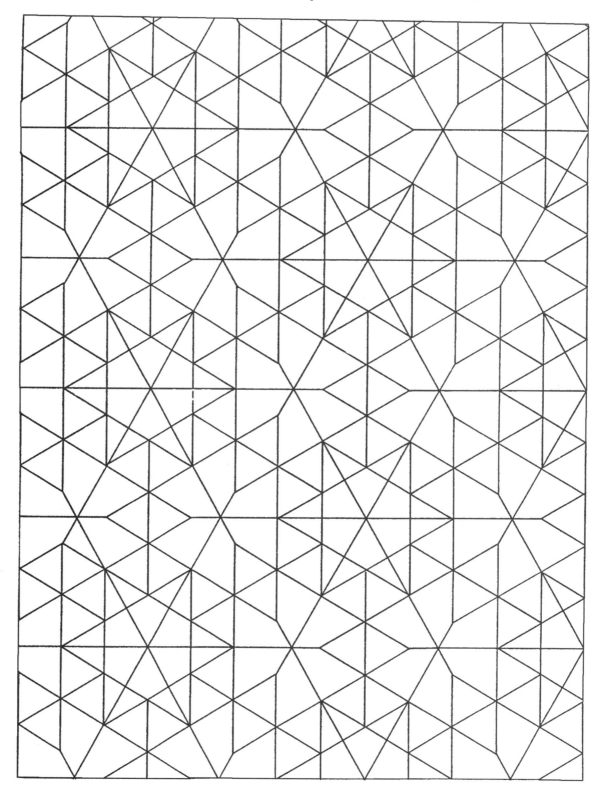

Des mesures à ta mesure !

1 Croque-Math s'est acheté une étrange affiche pour décorer un mur de sa chambre. En utilisant ta règle, mesure les segments démandés et écris les mesures dans le tableau ci-dessous.

Ex. : $\overline{AB}$	6 cm		$\overline{EF}$	
$\overline{BC}$			$\overline{FG}$	
$\overline{CD}$			$\overline{GH}$	
$\overline{DE}$			$\overline{AH}$	

2 Trouve les équivalences suivantes.

a) 3 m = _____ dm

b) 2 m = _____ cm

c) 50 dm = _____ m

d) 6 m = _____ dm

e) 100 dm = _____ m

f) 700 dm = _____ m

Un petit raccourci?

Croque-Math et ses amies ont dîné dans un parc à midi.
Ils doivent retourner à l'école. Qui y arrivera en premier?

Pour le savoir, mesure chaque trajet en centimètres.

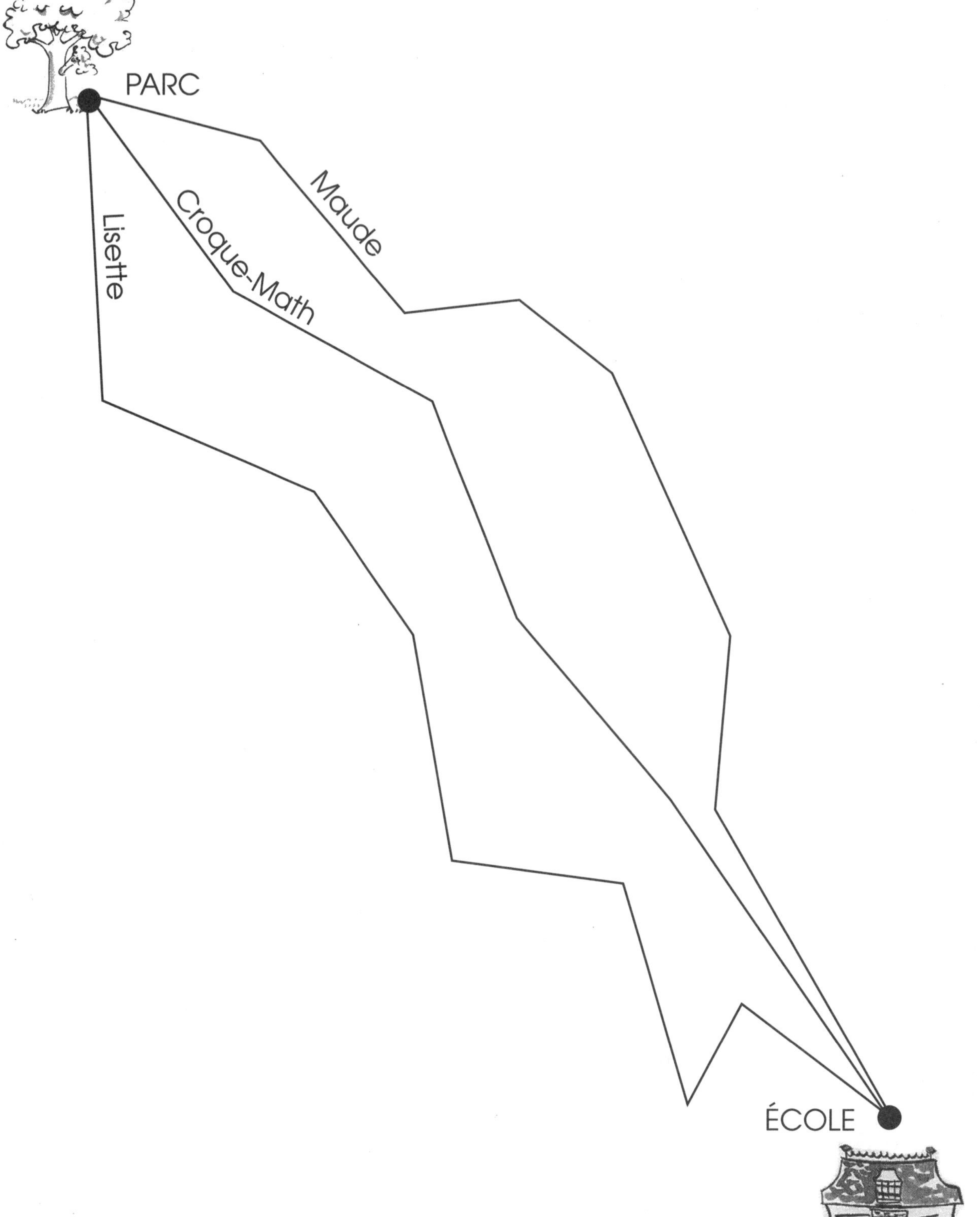

PARC

Maude

Lisette

Croque-Math

72

ÉCOLE

C'est _____ qui arrivera en premier.

Un problème de mesures?

Croque-Math doit afficher des dessins d'élèves en haut du grand tableau de la classe.

Voici un exemple.

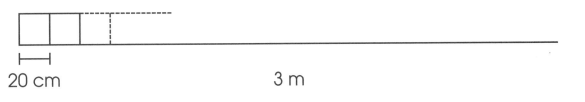

20 cm

3 m

Chaque dessin mesure 20 cm.

La tableau mesure 3 m.

Combien lui faudra-t-il de dessins pour couvrir le haut du tableau?

Tu peux calculer ici.

Réponse: Croque-Math a besoin de _____ dessins.

Mathé-lexique

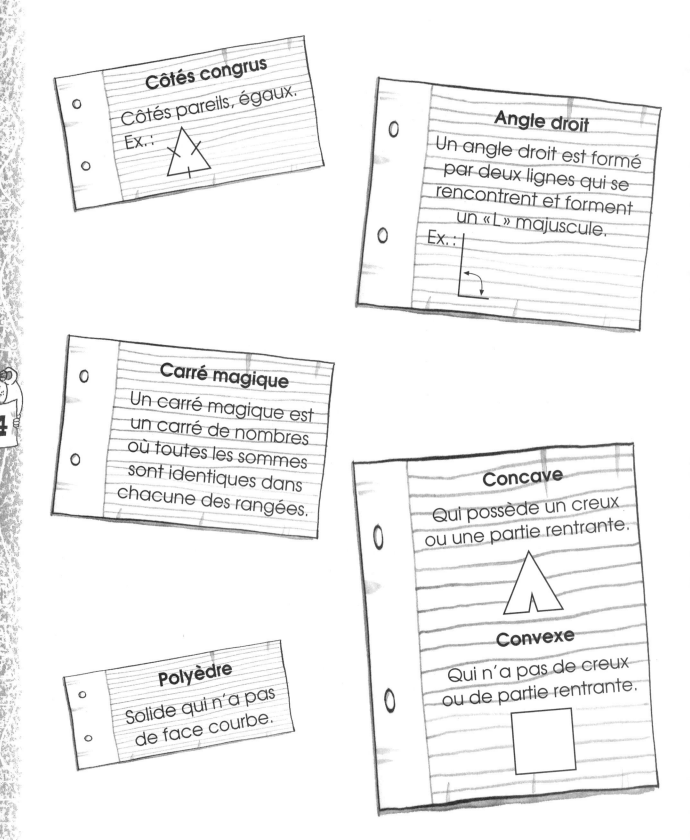

Côtés congrus

Côtés pareils, égaux.

Ex. :

Angle droit

Un angle droit est formé par deux lignes qui se rencontrent et forment un « L » majuscule.

Ex. :

Carré magique

Un carré magique est un carré de nombres où toutes les sommes sont identiques dans chacune des rangées.

Concave

Qui possède un creux ou une partie rentrante.

Convexe

Qui n'a pas de creux ou de partie rentrante.

Polyèdre

Solide qui n'a pas de face courbe.

74

Du soleil à profusion!

Les achats du printemps

Croque-Math et ses amis vont faire des achats au magasin.
Chacun a 98¢ à dépenser.

Voici la liste de leurs achats.

Nom	25¢	96¢	60¢	12¢	51¢
Croque-Math	X				X
Karim		X			
Fanny	X		X		
Benjamin	X			X	X
John			X	X	

1. Quel est le montant des achats de chacun?

a) Croque-Math _____   d) Benjamin _____

b) Karim _____   e) John _____

c) Fanny _____

2. Combien d'argent reste-t-il à chacun?

a) Croque-Math _____   c) Karim _____   e) Fanny _____

b) Benjamin _____   d) John _____

3. Quel objet Croque-Math aurait-elle pu encore acheter?

_____

4. Quel objet John aurait-il pu encore acheter? _____

5. Quels sont les noms des enfants qui n'auraient pas pu acheter autre chose?

_____

76

Méli-mélo de nombres

1. Compte par 3 de 0 à 30. Écris ces nombres.

_____

2. Écris les nombres manquants.

779, _____, 781, _____, _____, 784, _____, _____, 787.

3. Ajoute quatre termes à la suite ci-dessous.

4, 8, 12, 16, _____, _____, _____, 32.

4. Ordonne ces nombres, du plus petit au plus grand.

389   58   125   998   839   215   538   899

_____

5. Place les nombres suivants en ordre décroissant.

679   283   504   796   405   832   382   967

_____

6. Écris le symbole < ou > qui convient.

a) 493 ◯ 394   f) 131 ◯ 113

b) 511 ◯ 115   g) 631 ◯ 316

c) 877 ◯ 778   h) 913 ◯ 931

d) 49 ◯ 94   i) 384 ◯ 483

e) 226 ◯ 262   j) 69 ◯ 96

Des lettres chiffrées

1. Croque-Math voudrait associer les nombres écrits en chiffres aux nombres écrits en lettres. Aide-la à le faire.

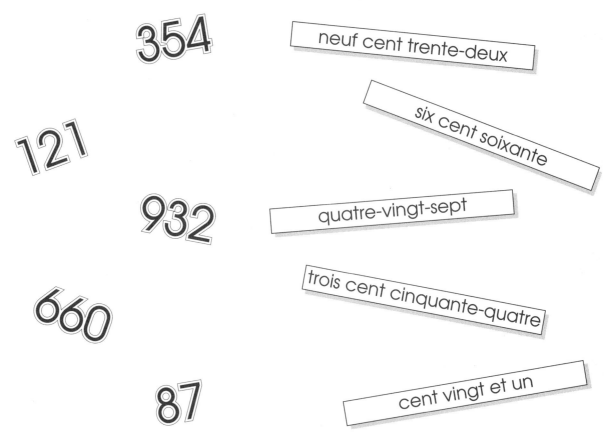

354

neuf cent trente-deux

121

six cent soixante

932

quatre-vingt-sept

trois cent cinquante-quatre

660

cent vingt et un

87

2. Écris le même nombre de trois façons différentes.

a) soixante-quatre	64	60 + 4
b) cent vingt-neuf		
c)	375	
d) huit cent quatre-vingt-dix		
e)		600 + 42
f)	255	

Un message secret

Effectue les additions suivantes.

Trouve ensuite le message secret que Croque-Math t'a adressé.

1   315
      + 398

2   100
      + 227

3   77
      + 52

4   185
      + 59

5   379
      + 262

6   550
      + 350

7   513
      + 128

8   444
      + 376

9   235
      + 300

10   33
      + 96

11 255
      + 218

12 521
      + 194

13 333
      + 308

14 122
      + 122

15 410
      + 410

16   98
      + 98

79

Code
secret

A = 327	J' = 713	N = 473	S = 196
E = 641	L = 900	P = 820	T = 715
I = 129	M = 244	R = 535	

Message secret :

_____

_____

_____

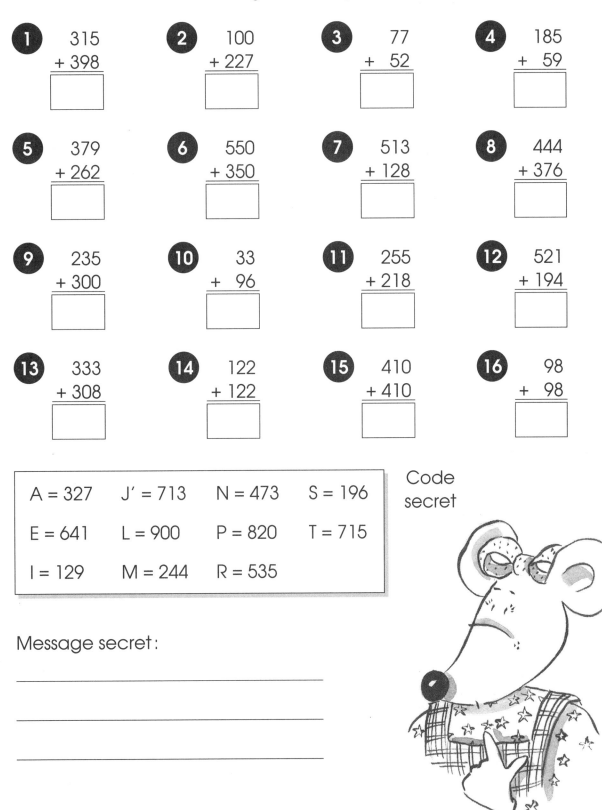

Des fléchettes endiablées

Croque-Math et ses amis organisent un concours de fléchettes.
Additionne les points pour connaître le total accumulé
par chacun d'eux.

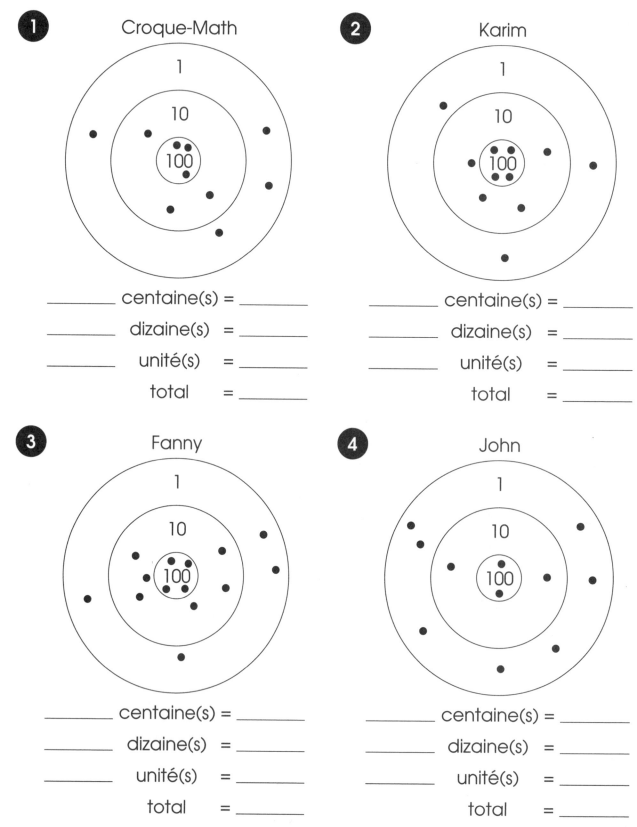

1 Croque-Math

_____ centaine(s) = _____

_____ dizaine(s) = _____

_____ unité(s)   = _____

total   = _____

2 Karim

_____ centaine(s) = _____

_____ dizaine(s) = _____

_____ unité(s)   = _____

total   = _____

3 Fanny

_____ centaine(s) = _____

_____ dizaine(s) = _____

_____ unité(s)   = _____

total   = _____

4 John

_____ centaine(s) = _____

_____ dizaine(s) = _____

_____ unité(s)   = _____

total   = _____

80

Tout de suite!

1. Croque-Math te propose des suites de nombres. Trouve la règle de chaque suite et ajoute quatre termes à cette suite.

a) 124, 129, 127, 132, 130, ☐ , ☐ , ☐ , ☐

Règle : _____

b) 653, 663, 660, 661, 671, 668, 669, ☐ , ☐ , ☐ , ☐

Règle : _____

c) 72, 81, 82, 91, 92, ☐ , ☐ , ☐ , ☐

Règle : _____

d) 222, 233, 244, 255, ☐ , ☐ , ☐ , ☐

Règle : _____

e) 444, 436, 439, 431, 434, ☐ , ☐ , ☐ , ☐

Règle : _____

2. À ton tour d'inventer une suite!
   N'oublie pas d'écrire la règle.

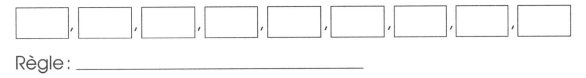

Règle : _____

Les devinettes de Croque-Math

1

Mon coupon pour la cabane à sucre me coûte 23 $. Je le paie avec un billet de 50 $. Combien d'argent me reste-t-il ?

Réponse : _____

2

Il y a 26 élèves dans ma classe. Parmi eux, 15 élèves ont accepté de venir à la cabane à sucre et 7 élèves ont refusé. Combien d'élèves n'ont pas encore donné leur réponse ?

Réponse : _____

3

À la cabane à sucre, 150 élèves peuvent manger en même temps. Seulement 22 élèves n'aiment pas les fèves au lard. Combien d'élèves mangeront des fèves au lard ?

Réponse : _____

4

À la cabane à sucre, j'achète deux contenants de tire à 7 $ chacun et trois contenants de sirop d'érable à 5 $ chacun. Combien d'argent ai-je dépensé ?

Réponse : _____

5

Trois autobus transportant chacun 42 élèves arrivent à la cabane à sucre. Combien d'élèves sont présents à la cabane à sucre ?

Réponse : _____

82

Le défi des champions

Croque-Math te propose le défi suivant :
tu dois trouver le résultat de toutes les opérations ci-dessous
en moins de 15 minutes.

En seras-tu capable ?

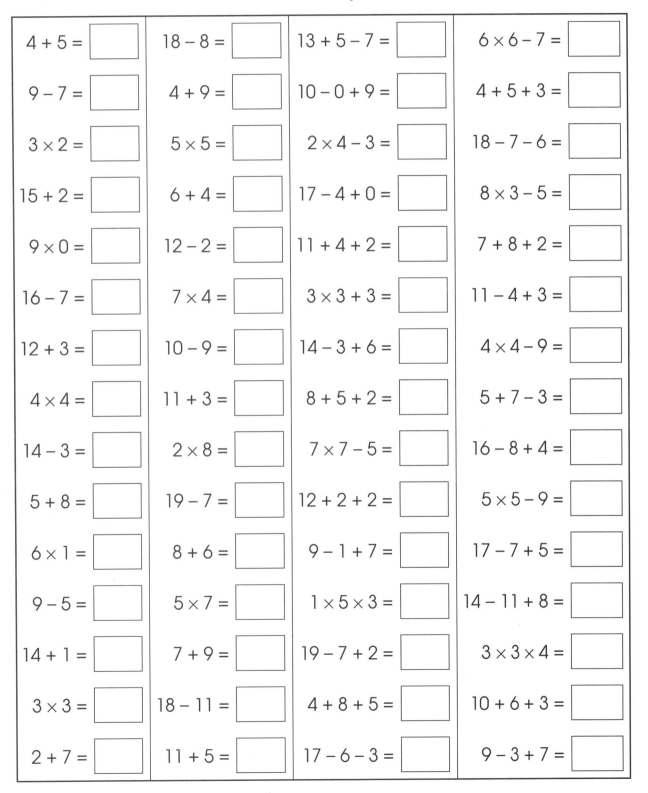

4 + 5 =	18 − 8 =	13 + 5 − 7 =	6 × 6 − 7 =
9 − 7 =	4 + 9 =	10 − 0 + 9 =	4 + 5 + 3 =
3 × 2 =	5 × 5 =	2 × 4 − 3 =	18 − 7 − 6 =
15 + 2 =	6 + 4 =	17 − 4 + 0 =	8 × 3 − 5 =
9 × 0 =	12 − 2 =	11 + 4 + 2 =	7 + 8 + 2 =
16 − 7 =	7 × 4 =	3 × 3 + 3 =	11 − 4 + 3 =
12 + 3 =	10 − 9 =	14 − 3 + 6 =	4 × 4 − 9 =
4 × 4 =	11 + 3 =	8 + 5 + 2 =	5 + 7 − 3 =
14 − 3 =	2 × 8 =	7 × 7 − 5 =	16 − 8 + 4 =
5 + 8 =	19 − 7 =	12 + 2 + 2 =	5 × 5 − 9 =
6 × 1 =	8 + 6 =	9 − 1 + 7 =	17 − 7 + 5 =
9 − 5 =	5 × 7 =	1 × 5 × 3 =	14 − 11 + 8 =
14 + 1 =	7 + 9 =	19 − 7 + 2 =	3 × 3 × 4 =
3 × 3 =	18 − 11 =	4 + 8 + 5 =	10 + 6 + 3 =
2 + 7 =	11 + 5 =	17 − 6 − 3 =	9 − 3 + 7 =

83

Vocabulaire mathématique

Remplis la grille de mots croisés.

Horizontalement

1. Raisonnement, cheminement, calculs.
2. Figure à quatre côtés égaux.
4. Opération qui consiste à ajouter un objet à d'autres objets. Nombre qui vient immédiatement après 99.
6. Résultat d'une addition. Multiple de 3.
7. Unité de mesure égale à 10 dm.
9. Espace intérieur ou extérieur délimité par une frontière.
11. Nombre qui peut être divisé par 2.
12. Enlever un terme.
14. Lignes communes reliant deux faces.

Verticalement

2. Groupe de 10 unités. Nombre qui ne peut être divisé par 2.
4. Résultat d'une multiplication.
5. Multiple de 5.
9. Quantités d'objets.
11. Symboles numériques.
14. Groupement de 10 dizaines.
15. Nombre à ajouter dans l'addition.

Une visite sucrée !

Croque-Math va fêter l'arrivée du printemps à la cabane à sucre,
avec tous les amis de sa classe.

Son professeur lui a remis un plan du site
où se trouve la cabane à sucre.

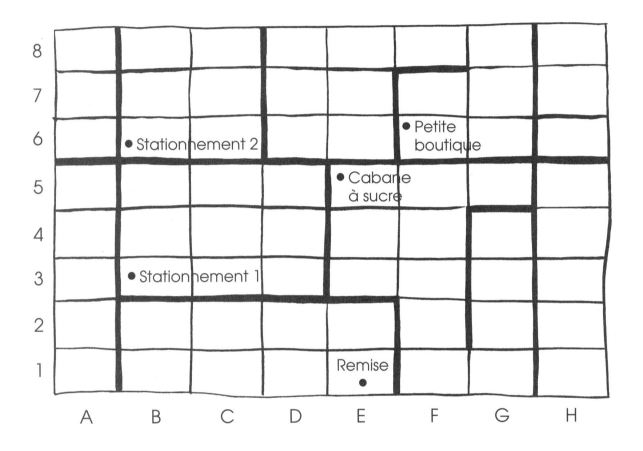

1. Dans quelle zone trouve-t-on la cabane à sucre ? _____

2. Dans quelle zone trouve-t-on la remise ? _____

3. Dans quelle zone trouve-t-on la petite boutique ? _____

4. Dans la zone (D,7), c'est là qu'on mange la tire sur la neige. Colorie cette zone en bleu.

5. Dans la zone (H,3), on peut goûter à l'eau d'érable. Colorie cette zone en jaune.

Des papillons magiques

Inscris les nombres manquants dans les ailes des papillons.
Le total des quatre nombres est inscrit dans le corps du papillon.

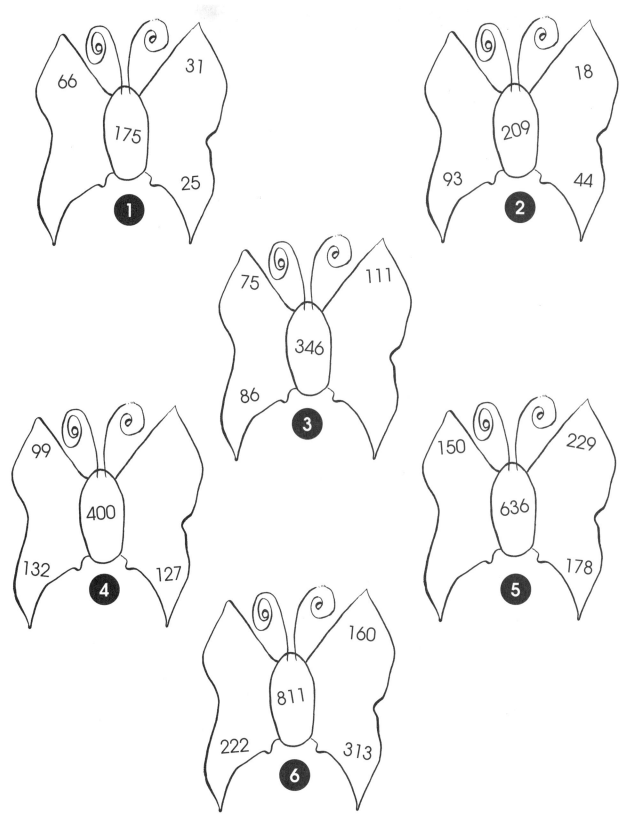

Un dessin tout en couleurs

Voici le dessin de la cabane à sucre que Croque-Math a visitée.

Colorie-le selon le code couleur suivant.

Code couleur	
Brun = multiples de 5	Gris = multiples de 8
Jaune = multiples de 6	Blanc = multiples de 9
Rouge = multiples de 7	

Une omelette de figures

Regarde attentivement les figures ci-dessous.

Réponds ensuite aux questions de la page suivante.

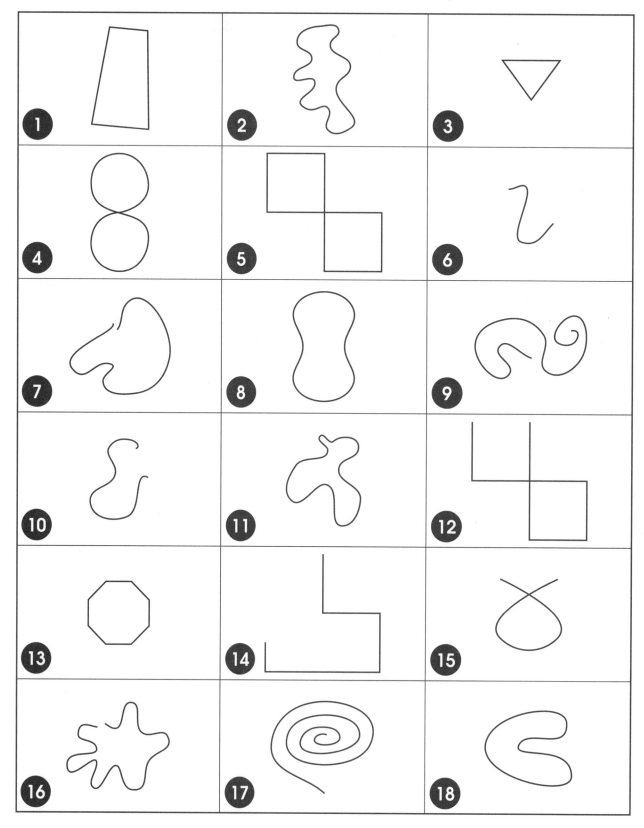

Une omelette de figures *(suite)*

Utilise les numéros des figures de la page précédente
pour remplir les tableaux suivants.

1.

Lignes brisées	Lignes non brisées

2.

	Lignes brisées	Lignes non brisées
Lignes fermées		
Lignes non fermées		

3. Quelle figure représente une ligne fermée, simple et non brisée ?

_____

4. Quelle figure représente une ligne fermée, brisée et simple ?

_____

5. Quelle figure représente une ligne non fermée, non brisée et simple ?

_____

6. Quelle figure représente une ligne non fermée, non simple et non brisée ? _____

89

Des schémas triangulaires

Trace des triangles de grandeurs ou de formes différentes.

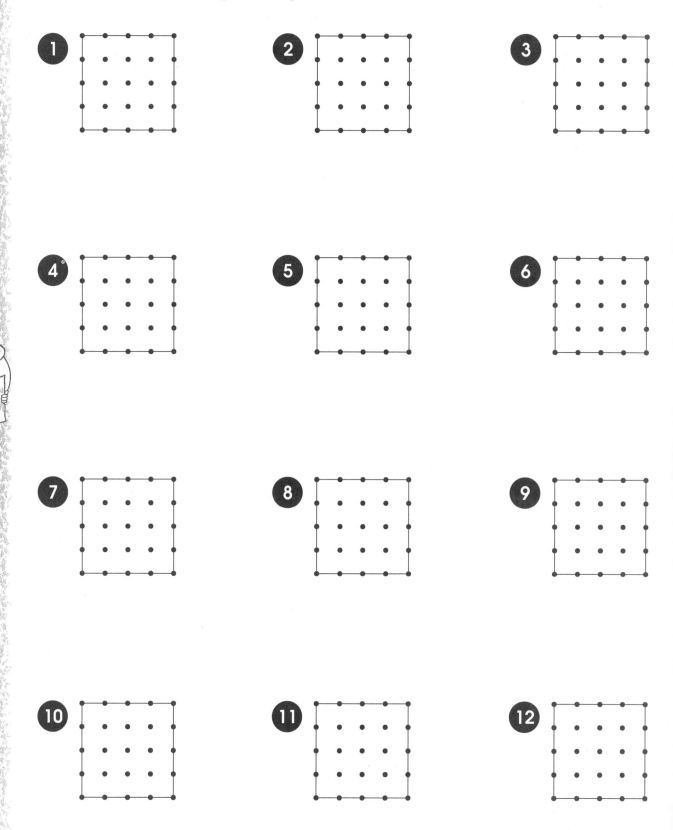

Les sosies à l'œuvre !

À chacun des solides ci-dessous, associe deux objets
qui ont la même forme.

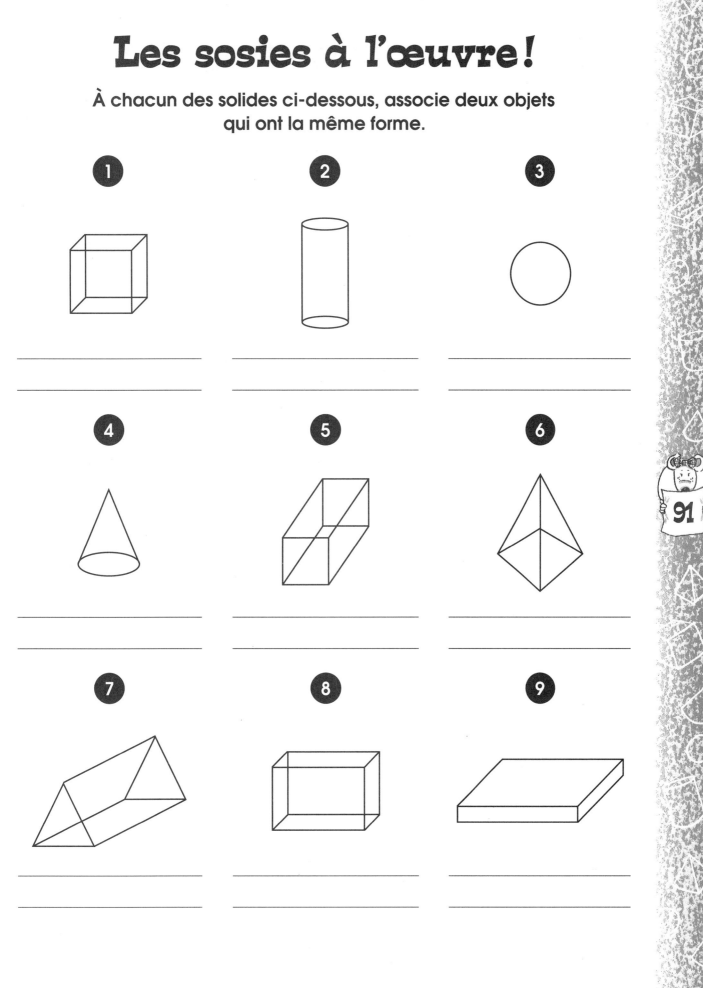

Une randonnée printanière

Croque-Math profite de l'arrivée du printemps avec sa famille.
Ils partent tous ensemble faire une randonnée au Parc de la drave.

Voici le plan du site.

PARC DE LA DRAVE

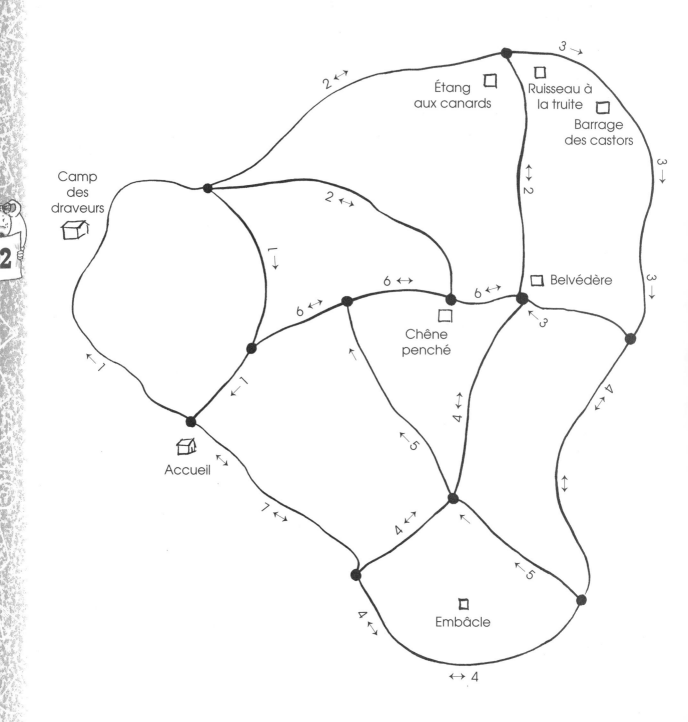

Une randonnée printanière
(suite)

1. Que signifient les symboles suivants ?

   → = _____

   ↔ = _____

2. Trouve trois trajets différents pour se rendre de l'Accueil à l'Étang aux canards. Colorie-les en bleu.

3. Quel sentier doit-on emprunter pour se rendre du Barrage des castors au Belvédère ?

   _____

4. Pour se rendre du Ruisseau à la truite au Chêne penché, on peut prendre le sentier 3, suivi du sentier 6. Trouve un trajet plus court.

   _____

5. Quels sentiers doit-on emprunter pour faire le tour de l'Embâcle ?

   _____

6. Quel sentier possède seulement deux intersections ?

   _____

7. Quels sentiers entourent la région la plus grande ?

   _____

8. Quels sentiers entourent la région la plus petite ?

   _____

9. Peut-on faire le tour du Camp des draveurs ? Pourquoi ?

   _____

   _____

93

Des tailles variées

1. Écris en centimètres, en décimètres et en mètres la taille de dix de tes amis.

Prénom	Taille (cm)	Taille (dm)	Taille (m)

2. Complète le tableau des équivalences ci-dessous.

Mètres	Décimètres	Centimètres
	80	
		200
		700
9		
	30	
		600
4		
	10	

Quel courant d'«aire»!

1. Trouve l'aire de chacune des figures suivantes.

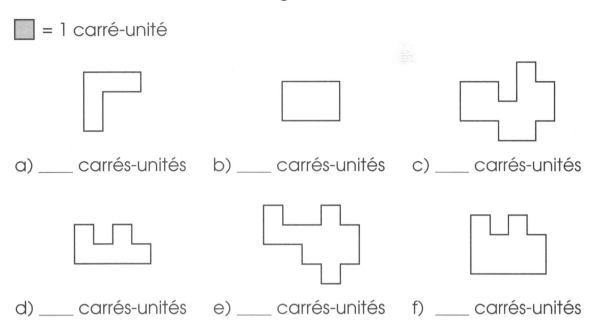

= 1 carré-unité

a) ____ carrés-unités

b) ____ carrés-unités

c) ____ carrés-unités

d) ____ carrés-unités

e) ____ carrés-unités

f) ____ carrés-unités

2. En te servant du même carré-unité, indique le nombre de carrés-unités que chacune des figures ci-dessous peut contenir.

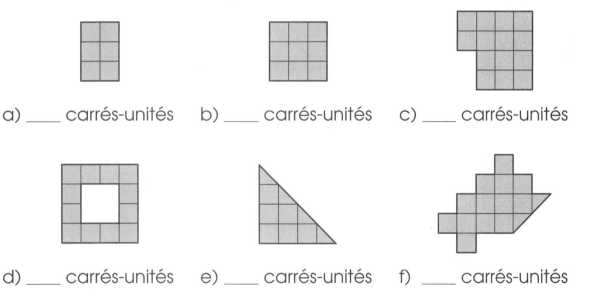

a) ____ carrés-unités

b) ____ carrés-unités

c) ____ carrés-unités

d) ____ carrés-unités

e) ____ carrés-unités

f) ____ carrés-unités

Des estimations en justesse

Encercle l'estimation la plus juste de la mesure réelle de ces objets.

1
100 cm   100 dm   100 m

2
20 cm   10 dm   4 m

3
50 cm   15 dm   5 m

4
10 dm   10 m   10 km

5
10 cm   10 dm   10 m

6
35 cm   11 dm   3 m

7
100 cm   18 dm   1 m

8
15 cm   5 dm   1 m

Spécial fin d'année!

Un sondage bien utile

**Cette année, Croque-Math est chargée du spectacle de fin d'année.
Avec l'aide de la directrice, elle a effectué un sondage
pour connaître les préférences des parents des élèves
pour le spectacle de fin d'année.**

Voici les résultats du sondage.

Préférences des parents
pour le spectacle de fin d'année

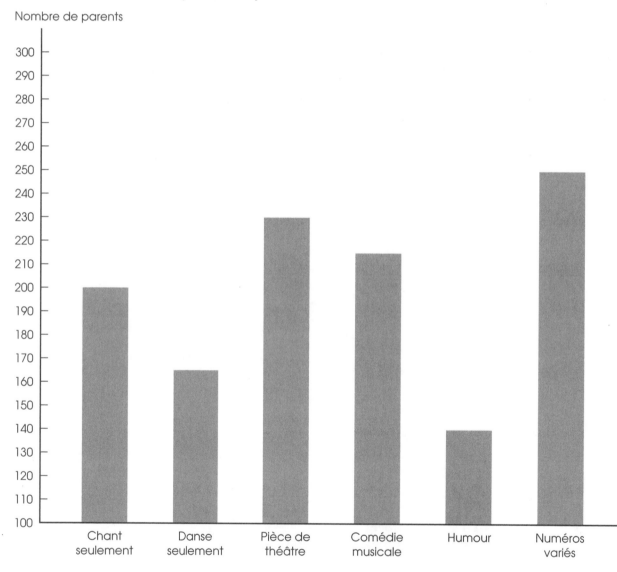

1. **Combien de parents ont répondu dans chaque catégorie ?**

   a) Chant seulement : _____   d) Comédie musicale : _____

   b) Danse seulement : _____   e) Humour : _____

   c) Pièce de théâtre : _____   f) Numéros variés : _____

Un sondage bien utile *(suite)*

2. Classe par ordre décroissant le nombre de parents de chaque catégorie.

_____

3. Combien de parents aiment plus le chant que la danse? _____

4. Combien de parents préfèrent la pièce de théâtre à l'humour?

_____

5. Afin de savoir le genre de spectacle qui sera choisi à la fin de l'année, trouve le produit des multiplications suivantes. Utilise ensuite le code secret pour découvrir la réponse.

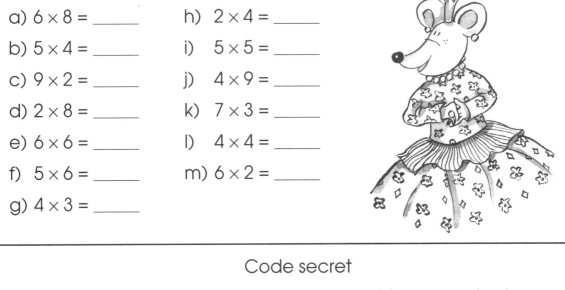

a) $6 \times 8 =$ _____   h) $2 \times 4 =$ _____

b) $5 \times 4 =$ _____   i) $5 \times 5 =$ _____

c) $9 \times 2 =$ _____   j) $4 \times 9 =$ _____

d) $2 \times 8 =$ _____   k) $7 \times 3 =$ _____

e) $6 \times 6 =$ _____   l) $4 \times 4 =$ _____

f) $5 \times 6 =$ _____   m) $6 \times 2 =$ _____

g) $4 \times 3 =$ _____

Code secret

a = 25	g = 56	m = 18	t = 6
b = 32	h = 10	n = 48	u = 20
c = 15	i = 21	o = 30	v = 8
d = 24	j = 42	p = 64	w = 35
é = 16	k = 14	q = 45	x = 40
f = 49	l = 28	r = 36	y = 63
		s = 12	z = 81

Réponse : _____

_____

Devinettes ensoleillées

1

Croque-Math a planté 6 plants de 7 tomates chacun. Combien de tomates aura-t-elle à la fin de l'été ?

Réponse : _____

2

Un plant de concombres coûte 4 $. Combien coûtent 9 plants de concombres ?

Réponse : _____

3

La facture de Croque-Math s'élève à 96 $. Si elle a payé 51 $ pour les roses, quel montant a-t-elle payé pour les bégonias ?

Réponse : _____

4

Croque-Math a payé 35 $ pour 7 plants de concombres. Combien de dollars chaque plant de concombres coûte-t-il ?

Réponse : _____

5

Croque-Math achète 3 boîtes de fleurs au prix de 3 $ chacune et 4 plants de tomates au prix de 6 $ chacun. Quel montant devra-t-elle débourser ?

Réponse : _____

6

Croque-Math a 50 $ pour acheter des boîtes de fleurs. Si une boîte de fleurs coûte 5 $, combien de boîtes Croque-Math pourra-t-elle acheter ?

Réponse : _____

Des billets pas ordinaires!

1. Croque-Math doit remettre en ordre les numéros des billets pour le spectacle de fin d'année.

   Aide-la en écrivant les nombres suivants sur le billet correspondant de la droite numérique : 24, 75, 12, 95 et 50.

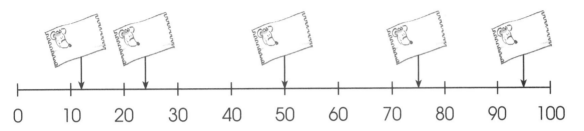

2. Refais le même exercice. Écris les nombres 625, 150, 300, 975, 500 et 850.

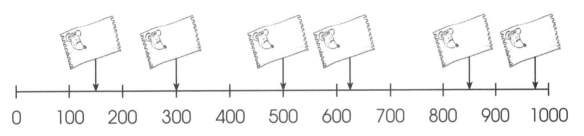

3. À ton tour maintenant !

   À l'aide d'une flèche, inscris les nombres suivants sur la droite numérique : 400, 250, 575, 950, 700 et 100.

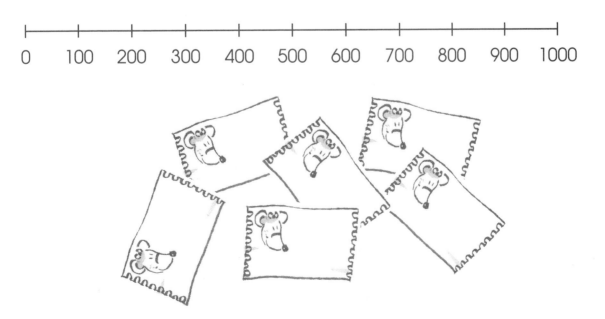

Un peu d'exercice !

1. Effectue les soustractions suivantes... avec un emprunt.

    a)   329   b)   591   c)   998   d)   727

         – 162   – 222   – 599   – 441

    e)   168   f)   852   g)   264   h)   616

         – 90   – 735   – 75   – 307

2. Effectue les soustractions suivantes... avec deux emprunts.

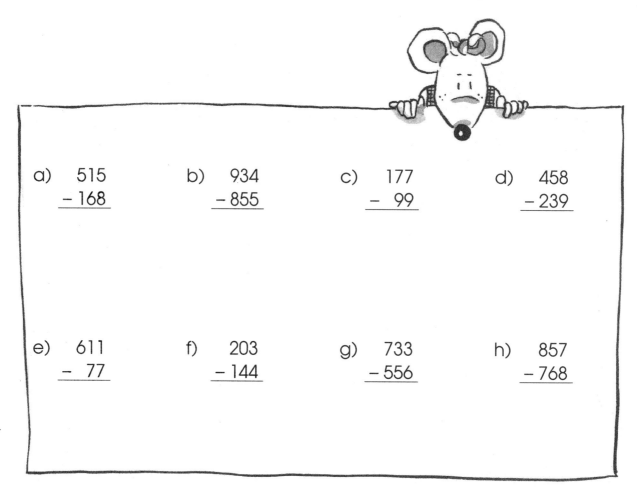

    a)   515   b)   934   c)   177   d)   458

         – 168   – 855   – 99   – 239

    e)   611   f)   203   g)   733   h)   857

         – 77   – 144   – 556   – 768

102

Une belle activité d'été

Relie les nombres par bonds de 4 et tu découvriras
ce que Croque-Math adore faire pendant les vacances d'été.

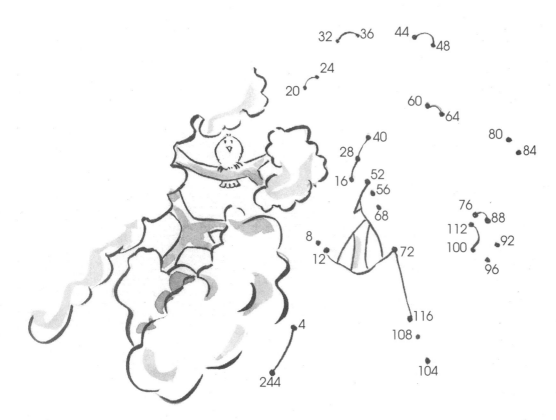

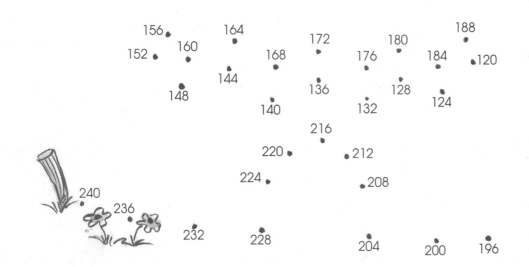

Des multiplications spectaculaires!

Écris les équations et les réponses.

1 Pour un spectacle, trois équipes travaillent aux décors. Chaque équipe est composée de cinq personnes. Combien de personnes travaillent aux décors?

_____

2 Dans la première partie du spectacle, neuf numéros seront présentés. Si chaque numéro dure quatre minutes, combien de temps durera la première partie?

_____

3 Le professeur de théâtre a besoin de six élèves par classe pour la pièce de théâtre. Si neuf classes participent, combien d'élèves feront partie de la pièce de théâtre?

_____

4 Il y a trois classes de 3e année à l'école de Croque-Math. Si sept élèves de chaque classe préparent un numéro de chant, combien d'élèves chanteront?

_____

5 Il manque des chaises dans la salle de spectacle. Huit élèves apportent chacun sept chaises. Combien de chaises manquait-il?

_____

6 Deux équipes travaillent aux costumes. Chaque équipe est composée de deux garçons et deux filles. Combien de personnes travaillent aux costumes?

_____

7 Il y a deux classes de 2e année à l'école de Croque-Math. Si quatre élèves de chaque classe préparent un numéro de danse, combien d'élèves danseront?

_____

8 Les billets pour le spectacle coûtent 5$ chacun. On demande à chaque élève de vendre au moins sept billets. Combien d'argent chaque élève devra-t-il rapporter à l'école?

_____

Les vedettes de la soirée

Fais les calculs et découvre les prénoms des six vedettes
du spectacle de fin d'année. Aide-toi du code secret.

Code secret

A = 413	E = 631	L = 801	N = 130	T = 548
C = 219	I = 377	M = 956	R = 798	Y = 333

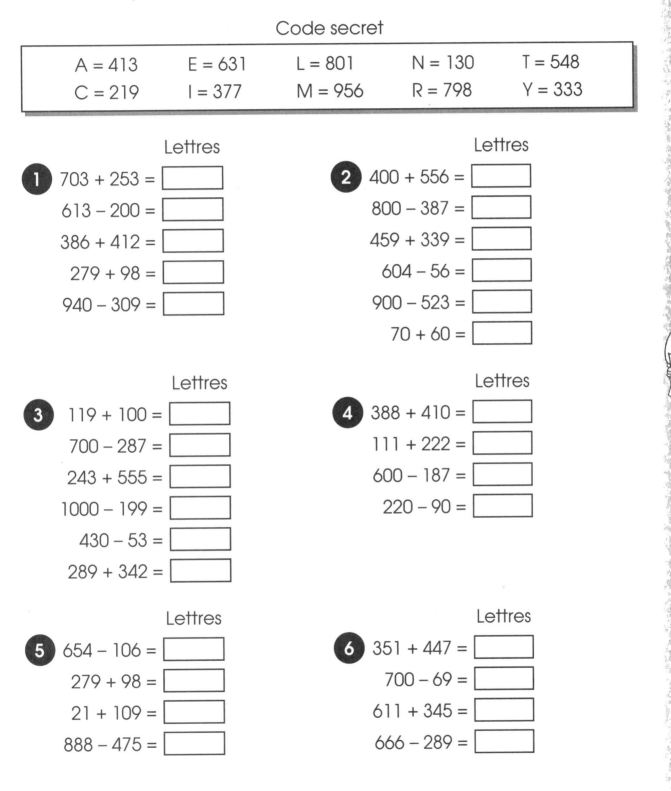

1

Lettres

703 + 253 = ☐

613 – 200 = ☐

386 + 412 = ☐

279 + 98 = ☐

940 – 309 = ☐

2

Lettres

400 + 556 = ☐

800 – 387 = ☐

459 + 339 = ☐

604 – 56 = ☐

900 – 523 = ☐

70 + 60 = ☐

3

Lettres

119 + 100 = ☐

700 – 287 = ☐

243 + 555 = ☐

1000 – 199 = ☐

430 – 53 = ☐

289 + 342 = ☐

4

Lettres

388 + 410 = ☐

111 + 222 = ☐

600 – 187 = ☐

220 – 90 = ☐

5

Lettres

654 – 106 = ☐

279 + 98 = ☐

21 + 109 = ☐

888 – 475 = ☐

6

Lettres

351 + 447 = ☐

700 – 69 = ☐

611 + 345 = ☐

666 – 289 = ☐

105

Un voyage excitant!

À l'école de Croque-Math, on planifie un superbe voyage de fin d'année.

Utilise le tableau des distances pour répondre aux questions suivantes.

Distance en kilomètres

	Montréal	Trois-Rivières	Québec	Sherbrooke	Chicoutimi	Gaspé
Montréal		142	253	147	464	930
Trois-Rivières	142		135	158	367	831
Québec	253	135		240	211	700
Sherbrooke	147	158	240		451	915
Chicoutimi	464	367	211	451		649
Gaspé	930	831	700	915	649	

1. Quelle distance sépare :

a) Montréal de Sherbrooke ? _____

b) Chicoutimi de Gaspé ? _____

c) Québec de Trois-Rivières ? _____

d) Montréal de Québec ? _____

e) Trois-Rivières de Gaspé ? _____

f) Québec de Sherbrooke ? _____

g) Gaspé de Montréal ? _____

Un voyage excitant! (suite)

2. a) Quelles sont les deux villes voisines les plus proches l'une de l'autre?

   _____

   b) Combien de kilomètres les séparent? _____

3. a) Quelles sont les deux villes les plus éloignées l'une de l'autre?

   _____

   b) Combien de kilomètres les séparent? _____

4. Un autobus part de Montréal et roule jusqu'à Sherbrooke. Il s'arrête un peu et reprend sa route vers Québec. Après s'être arrêté une deuxième fois, il revient à Montréal.

   Combien de kilomètres a-t-il parcourus? _____

5. Quelle est la route la plus longue?

   a) De Québec à Gaspé, de Gaspé à Trois-Rivières et de Trois-Rivières à Chicoutimi

   b) De Sherbrooke à Chicoutimi, de Chicoutimi à Montréal et de Montréal à Gaspé

6. Combien d'heures environ faut-il pour parcourir les distances suivantes en voiture?

   a) De Québec à Gaspé

3h	7h	15h

   b) De Montréal à Chicoutimi

2h30	4h30	6h30

   c) De Sherbrooke à Montréal

1h30	5h30	11h30

   d) De Chicoutimi à Québec

1h	2h	3h

107

Des détails nécessaires

Observe les deux illustrations ci-dessous.

Dans la deuxième illustration, neuf éléments bien importants
ont été ajoutés.

Encercle ces neuf éléments.

Un week-end reposant

Toute la semaine, Croque-Math a travaillé fort pour préparer le spectacle de fin d'année. Afin qu'elle puisse se reposer, ses parents lui proposent une balade en voiture.

Ils ont le choix entre trois itinéraires.

A Montréal → Saint-Eustache→ Saint-Sauveur

B Montréal→ Saint-Janvier→ Saint-Sauveur

C Montréal→ Terrebonne→ Saint-Janvier→ Saint-Sauveur

1. Quel itinéraire est le plus court? _____

2. Quel itinéraire est le plus long? _____

3. Quel est l'itinéraire le plus rapide pour se rendre de Saint-Eustache à Terrebonne?

_____

4. Quel est l'itinéraire le plus long pour se rendre de Saint-Janvier à Saint-Eustache?

_____

Des polyèdres recherchés

Croque-Math travaille fort. Elle étudie les polyèdres.
Regarde attentivement les polyèdres ci-dessous et aide Croque-Math
à les classer dans les tableaux de la page suivante.

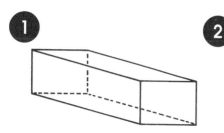

1

2

3

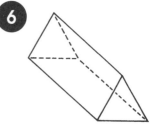

4

5

6

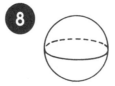

7

8

9

10

11

12

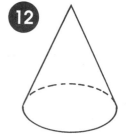

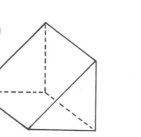

13

14

15

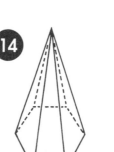

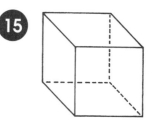

110

Des polyèdres recherchés
(suite)

Rappelle-toi qu'un polyèdre est un solide dont toutes les faces sont planes.

Utilise les numéros des polyèdres et classe-les dans les tableaux suivants.

4 faces :	
5 faces :	
6 faces :	
7 faces :	
8 faces :	

6 arêtes :	10 arêtes :	
7 arêtes :	12 arêtes :	
8 arêtes :	Plus de 12 arêtes :	
9 arêtes :		

4 sommets	5 sommets	6 sommets	7 sommets	8 sommets	Plus de 8 sommets

Polyèdres		Non polyèdres	
Prismes rectangulaires :		Cônes :	
Prismes triangulaires :		Cylindres :	
Pyramides :		Sphères :	
Autres :		Autres :	

Des décors solides

Croque-Math prépare différents solides pour les décors du spectacle.
Aide-la en associant le solide au développement correspondant.

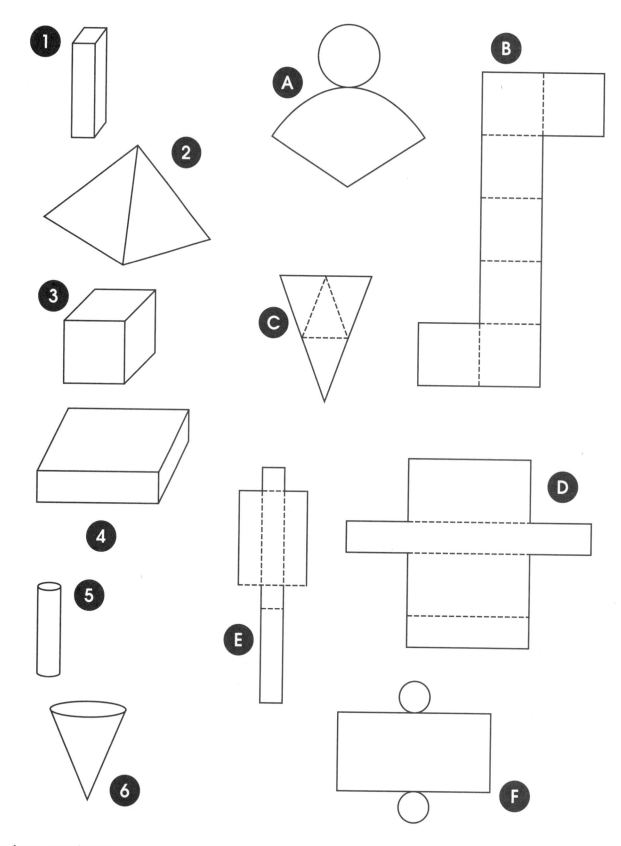

Prenons nos grands «aires»!

Encercle la figure ayant la plus grande aire.

1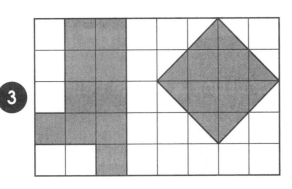

2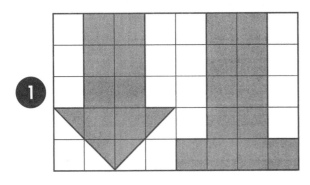

3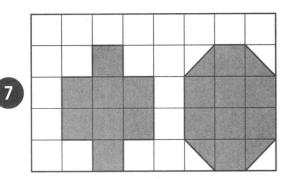

4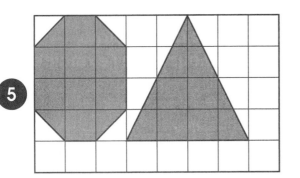

5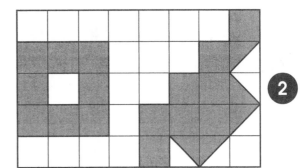

6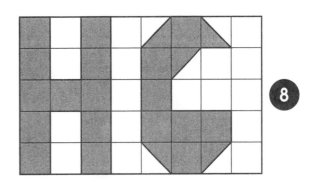

7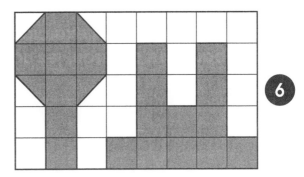

8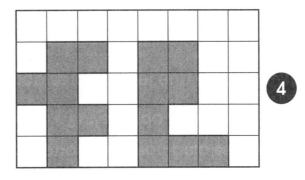

113

Un jeu constructif

Croque-Math a fabriqué différentes constructions avec les cubes qu'elle a reçus pour son anniversaire.

Indique le nombre de cubes contenus dans chaque construction.

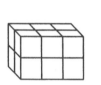  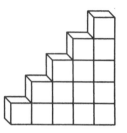 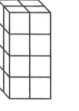

1   **2**   **3**   **4**   **5**

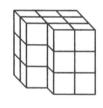 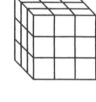   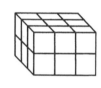

6   **7**   **8**   **9**   **10**

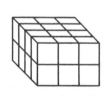 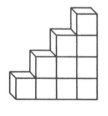   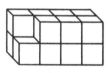

11   **12**   **13**   **14**   **15**

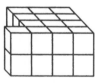 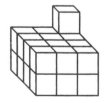

16   **17**   **18**   **19**   **20**

114

Les olympiades de fin d'année

À l'école de Croque-Math, on prépare les olympiades de fin d'année.

Voici la piste de course.

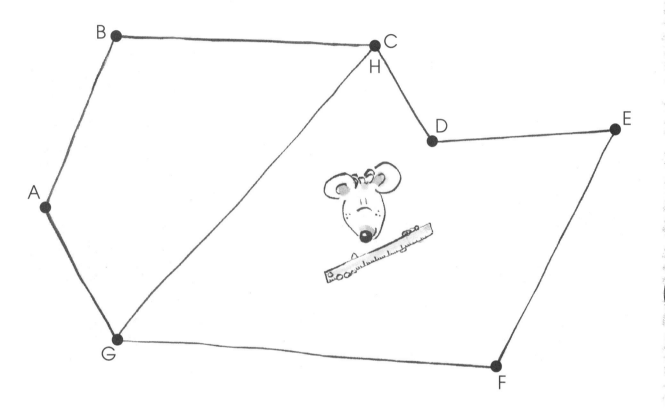

Mesure chaque segment de la piste et reporte tes mesures dans le tableau ci-dessous.

Segment	$\overline{AB}$	$\overline{BC}$	$\overline{CD}$	$\overline{DE}$	$\overline{EF}$	$\overline{FG}$	$\overline{GH}$
Mesure en cm							

Des frises pour tous les goûts

Les élèves de la classe de Croque-Math ont décidé
de décorer les murs de l'école pour le spectacle de fin d'année.
Ils veulent afficher des banderoles agrémentées de frises
ayant plusieurs axes de réflexion.

Ils ont commencé les modèles suivants. Complète les frises.

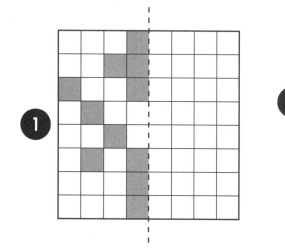

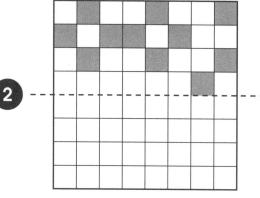

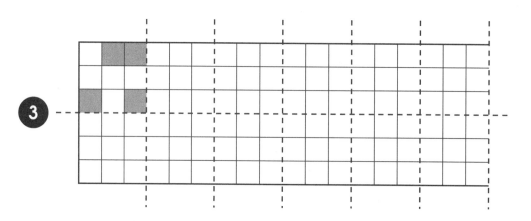

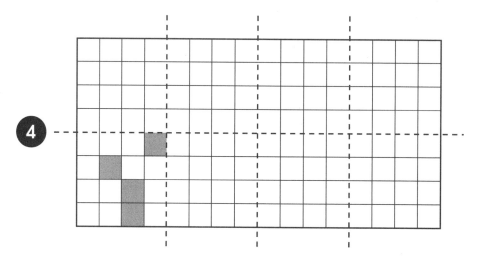

Mathé-lexique

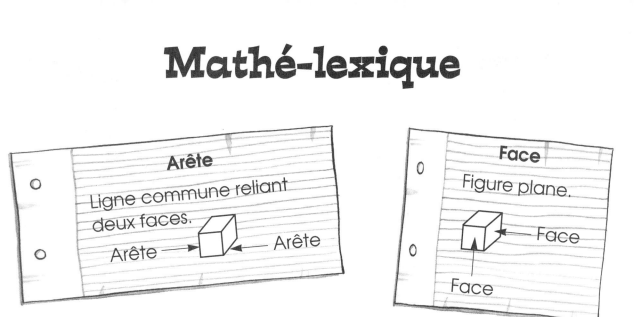

Arête
Ligne commune reliant deux faces.

Arête → ← Arête

Face
Figure plane.

← Face

Face

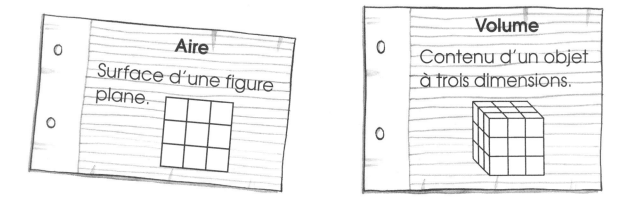

Sommet
Point de rencontre des arêtes des faces d'un solide.

Sommet → ← Sommet

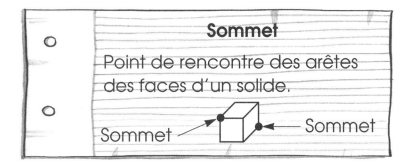

Aire
Surface d'une figure plane.

Volume
Contenu d'un objet à trois dimensions.

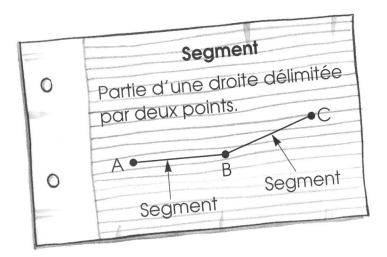

Segment
Partie d'une droite délimitée par deux points.

A B C

Segment

Segment

117

Tout un été pour s'amuser!

Une journée pluvieuse

Comme il pleut aujourd'hui, Croque-Math s'amuse à un jeu de codes.
Aide-la à trouver les résultats des opérations
en tenant compte des consignes suivantes.

> ### Les chiffres 1 à 10 sont codés en lettres.
>
> | | |
> |---|---|
> | A = 0 | F = 1 |
> | B = 2 | G = 3 |
> | C = 4 | H = 5 |
> | D = 6 | I = 7 |
> | E = 8 | J = 9 |

Exemple : H + G = ☐

5 + 3 = [8]

1 I – H = ☐

2 F + ☐ = J

3 ☐ – B = D

4 B × ☐ = E

5 A × H = ☐

6 D + G = ☐

7 J – F + A = ☐

8 C × I = ☐

9 C + H – A = ☐

10 E + G = ☐

11 G × ☐ = 9

12 I – C + ☐ = E

13 D × H – B = ☐

14 J – A = ☐

15 F × B × ☐ = E

16 E × ☐ – J = I

17 B + D – C = ☐

18 I × J = ☐

19 G + ☐ – H = I

20 J × D – F = ☐

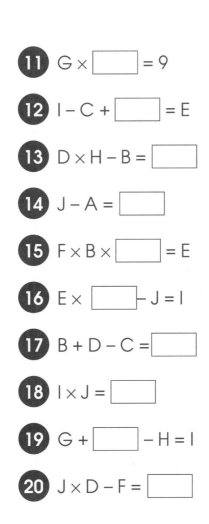

119

Réfléchissons un peu...

Résous les problèmes suivants.

1. **Croque-Math revient de l'épicerie. Elle a acheté des raisins à 2 $, un poulet à 9 $ et un sac de pommes à 3 $. Avant de partir, elle avait un billet de 20 $ dans son porte-monnaie.**

   a) Combien d'argent a-t-elle dépensé?

   _____

   b) Combien d'argent lui reste-t-il?

   _____

2. **Croque-Math a compté le nombre total des entrées au zoo pour la journée d'hier. Elle a enregistré 54 entrées au tarif régulier (13 $) et 9 entrées au tarif réduit (7 $).**

   a) Quel est le total des entrées pour la journée entière?

   _____

   b) Quelle est la somme rapportée par les entrées au tarif réduit?

   _____

3. **Le père de Croque-Math a vendu sa moto 1000 $. Il a utilisé cette somme d'argent pour faire des rénovations dans le salon. Il a consacré 576 $ au recouvrement du plancher, 85 $ à la peinture et 215 $ à la décoration.**

   a) Quel est le montant total des rénovations?

   _____

   b) Combien lui restera-t-il d'argent de la vente de sa moto après avoir payé les rénovations?

   _____

Un labyrinthe mystère

Trouve le chemin que Croque-Math a emprunté
pour se rendre de la lettre « b » à la lettre « e ».
Note toutes les lettres que tu rencontreras sur ton chemin.
Remets ensuite les lettres dans le bon ordre
et tu découvriras un mot caché.

y

c

l

b e

m

e

i a

t

t

c f r

u e

Lettres rencontrées

Mot caché : _____

Croisons les mathématiques...

Trouve les réponses des définitions ci-dessous
et remplis les cases des mots croisés.

1. Espace occupé par un objet à trois dimensions.

2. Je ne suis pas un nombre pair.

3. Je suis formée de 10 unités.

4. Énoncé mathématique.

5. Règle ou régularité d'une suite de nombres.

6. Surface d'une figure plane.

7. Nous sommes 10 pour former une dizaine.

8. Je suis formée de 100 unités.

9. Nous sommes l'ensemble des nombres naturels qui sont des multiples de 2.

10. Je suis le nombre formé de 100 dizaines.

11. Nous sommes à la base des mathématiques :
    0, 1, 2, 3, 4, 5, 6, 7, 8 et 9.

Des mobiles estivaux

Croque-Math a fabriqué des mobiles estivaux.
Écris les nombres manquants pour équilibrer les mobiles.

❶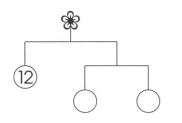

❷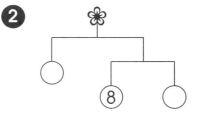

❸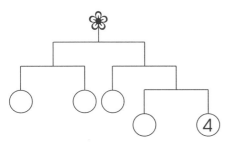

❹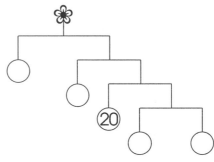

❺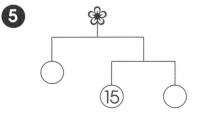

❻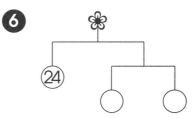

❼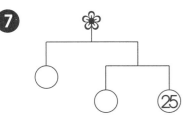

❽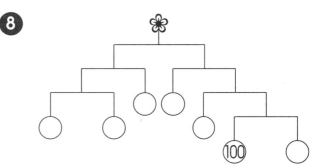

Une visite à l'usine

Lis le petit texte suivant, puis réponds aux questions.

Dans l'usine Les planchers Lafleur inc., on fabrique des tuiles de vinyle et des carreaux de céramique. Cette usine est constituée de six ateliers de fabrication de tuiles de vinyle et de huit ateliers de fabrication de carreaux de céramique. Sept personnes travaillent dans chaque atelier, cinq jours par semaine et huit heures par jour.

Dans les ateliers de tuiles de vinyle, chaque ouvrier fabrique en moyenne neuf tuiles à l'heure.

Dans les ateliers de fabrication de carreaux de céramique, chaque ouvrier fabrique en moyenne sept tuiles à l'heure.

1. **Combien d'ouvriers travaillent dans les ateliers de tuiles de vinyle ?**

   _____

2. **Combien d'ouvriers travaillent à la fabrication de carreaux de céramique ?** _____

3. **Au total, combien d'ouvriers travaillent pour l'usine Les planchers Lafleur inc. ?** _____

4. **Combien de tuiles de vinyle un ouvrier fabrique-t-il en moyenne :**

   a) en une journée ? _____

   b) en une semaine ? _____

5. **Combien de carreaux de céramique un ouvrier fabrique-t-il en moyenne :**

   a) en une journée ? _____

   b) en une semaine ? _____

6. **Au total, combien de tuiles de vinyle sont fabriquées :**

   a) en une journée ? _____

   b) en une semaine ? _____

7. **Au total, combien de carreaux de céramique sont fabriqués :**

   a) en une journée? _____

   b) en une semaine? _____

124

Des photos de vacances

Croque-Math a pris plusieurs photos pendant ses vacances.
Les deux photos ci-dessous semblent complètement différentes.
Pourtant, six détails presque identiques se retrouvent sur chaque photo.
Réussiras-tu à les découvrir?

1. _____

2. _____

3 _____

4. _____

5. _____

6. _____

Un menu savoureux

Croque-Math et ses parents profitent de leurs vacances
pour aller souper dans un bon restaurant.
Voici la carte des plats offerts.

Entrées
Salade du chef	3 $
Natchos	4 $
Assiette de fromages	5 $
Soupe du jour	2 $

Plats principaux
Lasagne au four	10 $
Escalope de veau	13 $
Poitrine de poulet grillée	12 $
Brochette de fruits de mer	16 $
Darne de saumon	14 $

Desserts
Gâteau au fromage	5 $
Tarte aux pommes	3 $
Salade de fruits	2 $
Crème caramel	4 $

Boissons
Lait	2 $
Jus	2 $
Boissons gazeuses	2 $
Thé, café, tisane	1 $

1. Quel menu complet (entrée, plat principal, dessert et boisson) sera le plus cher?

_____

2. Quel menu complet sera le moins cher?

_____

3. Un client a 50 $. Combien d'argent lui restera-t-il s'il choisit le menu:

a) le moins cher? _____ b) le plus cher? _____

4. Une cliente a 20 $. Sans jamais choisir deux fois le même plat, nomme trois différents menus complets qu'elle peut s'offrir avec cette somme d'argent.

_____

_____

_____

Mystérieuses soustractions

Effectue d'abord les soustractions ci-dessous.
Biffe ensuite chacune de tes réponses et la lettre correspondante.
Les lettres restantes formeront un mot mystère.

1.   877 – 626 = _____

2.   514 – 177 = _____

3.   915 – 206 = _____

4. 1 782 – 285 = _____

5. 1 261 – 701 = _____

6.   387 – 25 = _____

7. 1 320 – 831 = _____

8.   333 – 126 = _____

9. 1 205 – 518 = _____

10.   637 – 91 = _____

11.   1 050 – 508 = _____

12.   783 – 304 = _____

13.   434 – 289 = _____

14.   996 – 753 = _____

15.   1 147 – 491 = _____

16.   442 – 180 = _____

17. 1 820 – 1 004 = _____

18. 2 432 – 1 010 = _____

19.   936 – 504 = _____

20.   3 209 – 915 = _____

479	J	1 497	T	489	P	251	D	362	L
2 294	V	1 422	B	656	E	432	H	262	T
337	A	546	N	155	M	71	P	145	V
797	E	243	Q	816	O	1 364	M	709	R
687	P	300	O	560	T	542	Z	207	E

Le mot mystère est mon fruit préféré :

_____

Les multiplications en folie

Regarde attentivement le tableau ci-dessous.

X	0	1	2	3	4	5	6	7	8	9
0				V			★			
1		I								
2				E			♥			
3					♥				A	
4		V		♥		S				
5								★		N
6		★	♥		★					
7			V					C		
8			E			A				
9		L		★	C			E		S

1. Quel nombre correspond à chaque lettre du tableau?

V = _____   A = _____   N = _____   E = _____   C = _____

I = _____   V = _____   V = _____   A = _____   E = _____

E = _____   S = _____   C = _____   L = _____   S = _____

2. Place par ordre croissant les nombres découverts dans l'exercice 1. Associe les lettres de l'exercice 1 aux nombres mis en ordre.

   Quel message peux-tu lire? _____

   _____

3. Écris les cinq nombres correspondant aux ★ et additionne-les.

   Quel nombre obtiens-tu? _____

4. Qu'est-ce que les nombres correspondant aux ♥ ont de particulier?

   _____

Un dégât pas ordinaire!

Par mégarde, Croque-Math a renversé de l'eau sur sa feuille
et des chiffres ont été effacés. Trouve les chiffres manquants.

1
```
    4 5 3
  +   6 8
  ─────────
    5 □ 1
```

2
```
    8 0 1
  - 1 3 1
  ─────────
    □ 7 0
```

3
```
    4 3 7
  -   2 9
  ─────────
    4 □ 8
```

4
```
    2 0 6
  + □ 3 6
  ─────────
    3 4 2
```

5
```
    8 9 6
  -   4 6
  ─────────
    8 □ 0
```

6
```
    5 7 □
  +   2 4
  ─────────
    6 0 0
```

7
```
    7 5 7
  - 1 □ 2
  ─────────
    5 8 5
```

8
```
    4 8 1
  + 1 9 5
  ─────────
    6 □ 6
```

9
```
    7 4 0
  -   3 6
  ─────────
    7 0 □
```

10
```
    □ 7 1
  + 1 3 9
  ─────────
    4 1 0
```

11
```
    □ 4 4
  - 5 5 5
  ─────────
    2 8 9
```

12
```
    2 6 9
  + 1 □ 3
  ─────────
    3 9 2
```

13
```
    9 4 4
  +   5 6
  ─────────
  1 □ 0 0
```

14
```
    5 5 0
  -   2 7 □
  ─────────
    2 7 5
```

15
```
    1 8 □
  + 5 4 9
  ─────────
    7 3 6
```

16
```
    6 1 □
  - 4 2 8
  ─────────
    1 8 9
```

17
```
    9 □ 5
  - 2 3 5
  ─────────
    6 9 0
```

18
```
    2 □ 2
  + 2 6 2
  ─────────
    5 2 4
```

19
```
    9 3 2
  - □ 6 4
  ─────────
    2 6 8
```

20
```
    4 3 2
  + 4 7 □
  ─────────
    9 1 0
```

129

La marelle mathématique

Pour s'occuper pendant les vacances, Croque-Math a inventé un jeu de marelle mathématique et elle a besoin de ton aide pour jouer.

1. Place-toi à la case départ avec Croque-Math.

2. À partir du chiffre donné à la case départ, effectue toutes les opérations indiquées dans chacune des cases.

3. Quel nombre obtiendras-tu à l'arrivée ? _____

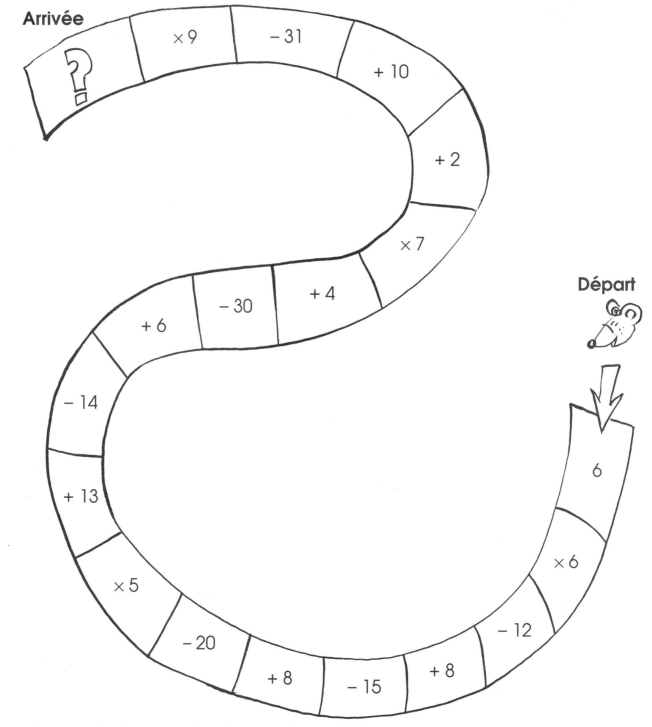

Des golfeurs fatigués

Parmi les six golfeurs du haut, seulement quatre
ont complété leur parcours. Quels sont ceux
qui ont abandonné en cours de route?

Réponse : _____

À la recherche des hauts sommets

Croque-Math a décidé de faire de la marche en montagne
pour profiter de l'été au maximum.
Avec son oncle, elle a escaladé plusieurs montagnes.
Voici l'itinéraire que Croque-Math et son oncle ont suivi.

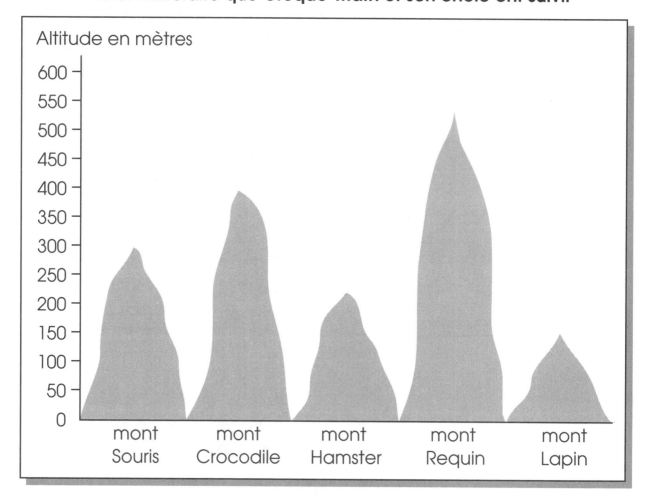

1. Quel mont a la plus haute altitude? _____

2. Quel mont a la plus basse altitude? _____

3. Quelle est la différence d'altitude entre le mont Hamster et le
   mont Souris? _____

4. Quelle est la différence d'altitude entre le mont Crocodile et
   le mont Lapin? _____

5. Croque-Math escalade le mont Lapin. Elle redescend et escalade
   ensuite le mont Requin. Combien de mètres aura-t-elle parcourus
   rendue au sommet du mont Requin? _____

Des solides pas ordinaires !

Associe le développement de solide au solide
qui lui correspond, une fois constitué.

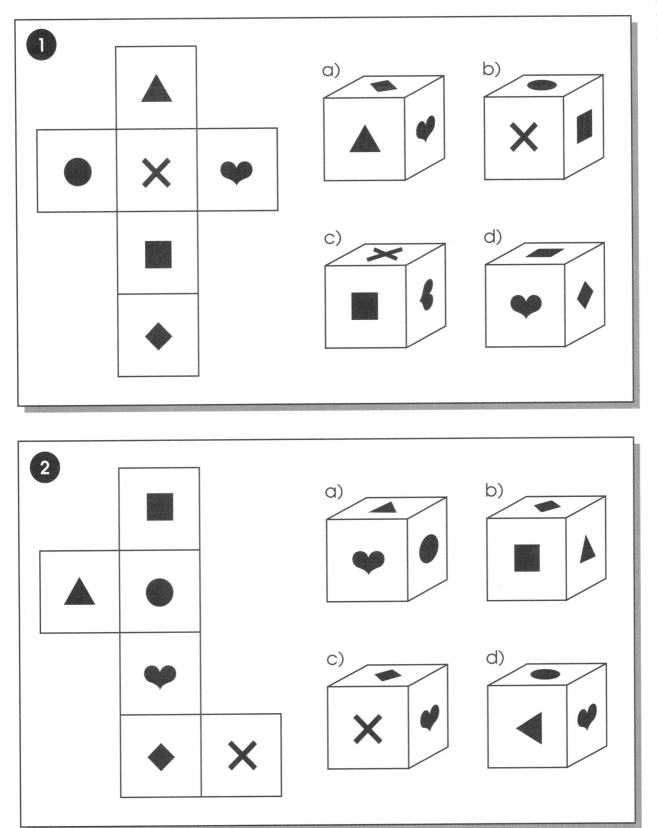

133

Une journée rafraîchissante

Regarde attentivement l'illustration ci-dessous, puis réponds aux questions suivantes.

1. Combien d'enfants sont dans le rectangle? _____

2. Combien d'enfants sont dans le triangle? _____

3. Combien d'enfants sont dans le carré? _____

4. À l'intersection de l'ovale et du triangle, trouve-t-on un garçon ou une fille? _____

5. Y a-t-il des enfants à l'extérieur des régions fermées?
   Si oui, combien? _____

6. Quel objet trouve-t-on immédiatement à gauche du carré?
   _____

En route pour la maison de Juan !

Croque-Math veut se rendre de chez elle à la maison de son ami Juan.
Indique deux trajets qu'elle peut suivre.
Attention ! Croque-Math peut se déplacer uniquement
de gauche à droite et de haut en bas.

Maison de Croque-Math

Maison de Juan

Des cubes à profusion !

1. Trouve le nombre de cubes nécessaires pour construire chacun de ces solides.

a)

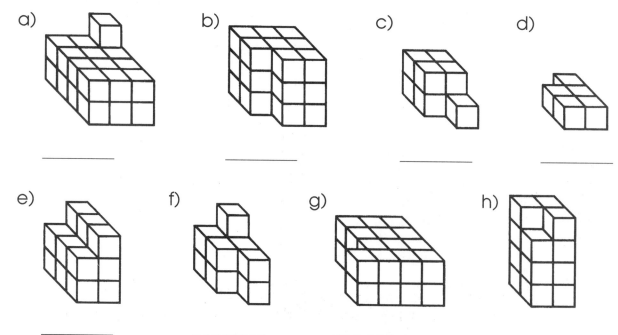

b)

c)

d)

_____   _____   _____   _____

e)   f)   g)   h)

_____   _____   _____   _____

2. Place les solides suivants en ordre décroissant selon le nombre de cubes utilisés pour les construire.

a)

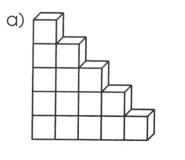

b)

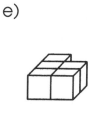

c)

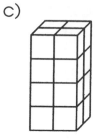

_____   _____   _____

d)

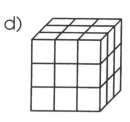

e)

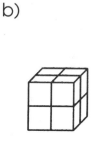

f)

_____   _____   _____

Des coordonnées jasantes

Croque-Math t'a envoyé des mots secrets.
À l'aide des coordonnées qui te sont fournies,
découvre les lettres formant les mots secrets.

6	G	L	P	O	T	C	A	H	E
5	C	J	E	M	I	A	I	P	A
4	E	I	R	E	G	D	S	O	C
3	N	S	C	N	P	R	L	T	A
2	T	A	G	C	F	O	C	I	Y
1	V	M	B	E	R	N	E	S	L
	A	**B**	**C**	**D**	**E**	**F**	**G**	**H**	**I**

1. (G,4) (F,2) (B,6) (D,1) (G,5) (I,1)

_____

2. (C,6) (I,1) (F,5) (E,4) (I,6)

_____

3. (A,1) (F,5) (G,2) (B,2) (F,1) (F,6) (D,4) (B,3)

_____

4. (I,4) (B,2) (D,5) (E,3) (B,4) (A,3) (A,6)

_____

5. (D,6) (C,3) (G,1) (F,5) (D,3)

_____

6. (C,1) (E,5) (G,2) (I,2) (A,5) (G,3) (C,5) (A,2) (E,6) (A,4)

_____

137

Camping au Parc des draveurs

Croque-Math est partie faire du camping au Parc des draveurs.

Utilise le plan du terrain de camping qu'elle t'a envoyé pour répondre aux questions suivantes. Écris la lettre des intersections pour indiquer les trajets.

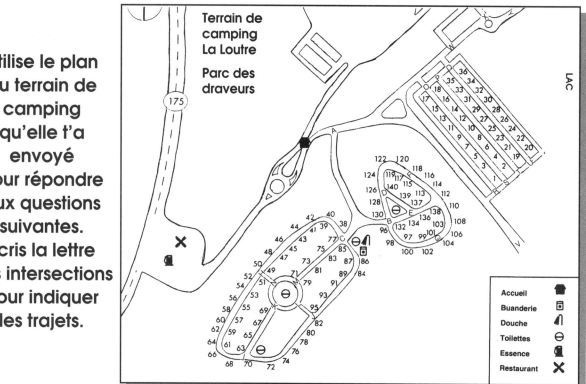

1. Tu es à l'accueil et on te loue l'emplacement 78. Quel est le trajet le plus court pour t'y rendre?

_____

2. Tu es à l'intersection P et tu veux te rendre à la buanderie. Quel trajet suivras-tu?

_____

3. Tu es à l'emplacement 118. Quel trajet suivras-tu pour aller aux toilettes les plus rapprochées?

_____

4. Tu es à l'emplacement 78 et tu désires te rendre au bord du lac. Quel trajet suivras-tu?

_____

5. Tu es à l'emplacement 25. Quel est le trajet le plus court pour te rendre à l'emplacement 67?

_____

138

Tout un spectacle !

Croque-Math et ses amis préparent une pièce de théâtre.
Ils travaillent actuellement à la conception de la scène et des décors.
Observe attentivement le plan ci-dessous.

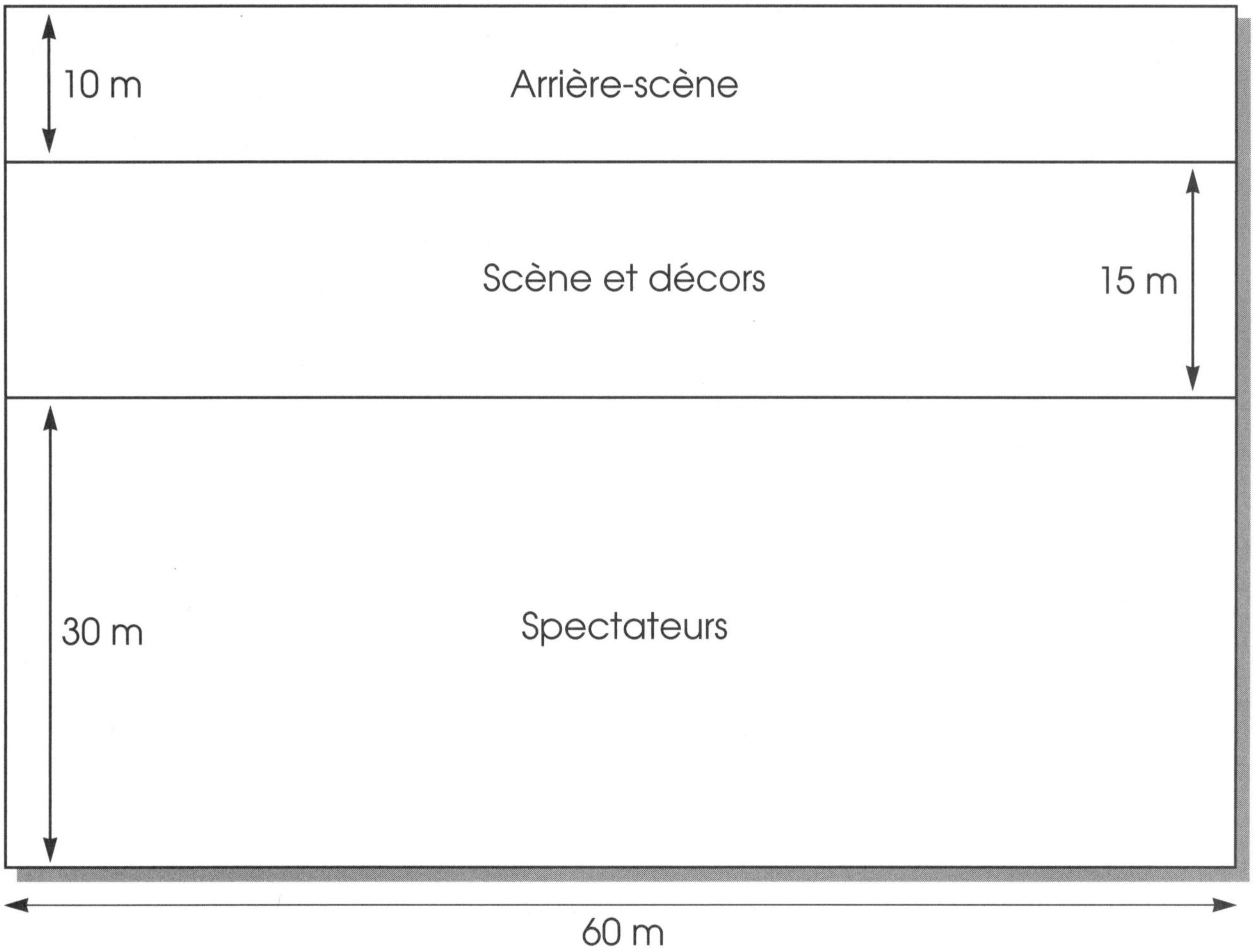

10 m	Arrière-scène
	Scène et décors 15 m
30 m	Spectateurs

60 m

1. Mesure le contour de l'endroit réservé à l'arrière-scène.

_____

2. Mesure le contour de la scène et des décors.

_____

3. Mesure le contour de la place réservée aux spectateurs.

_____

**4. Quelles seront les dimensions de la salle de spectacle
(arrière-scène, scène et décors et spectateurs) ?**

_____

139

Estimons les mesures...

Encercle la bonne réponse.

1. Le siège d'une chaise est:
   a) à plus de 1 m de hauteur
   b) à environ 1 m de hauteur
   c) à moins de 1 m de hauteur

2. Une porte mesure:
   a) plus de 1 m
   b) environ 1 m
   c) moins de 1m

3. La longueur d'un terrain de tennis est:
   a) de plus de 1 km
   b) d'environ 1 km
   c) de moins de 1 km

4. En 5 minutes, un marcheur parcourt:
   a) plus de 1 km
   b) environ 1 km
   c) moins de 1 km

5. La largeur d'un four à micro-ondes est:
   a) de plus de 1 m
   b) d'environ 1 m
   c) de moins de 1 m

6. La longueur d'une brosse à cheveux est:
   a) de plus de 2 dm
   b) d'environ 2 dm
   c) de moins de 2 dm

7. L'épaisseur d'une calculatrice est:
   a) de plus de 1 cm
   b) d'environ 1 cm
   c) de moins de 1 cm

8. En 15 minutes, un coureur parcourt:
   a) plus de 1 km
   b) environ 1 km
   c) moins de 1 km

140

Le corrigé

Page 9
1. 1. quinze; 2. neuf; 3. trente-deux; 4. six; 5. trente;
   6. quatre; 7. soixante; 8. quinze; 9. huit; 10. vingt-
   quatre; 11. quarante-cinq; 12. trois; 13. zéro;
   14. seize; 15. vingt; 16. dix-huit; 17. dix; 18. douze.
2. a) 25, 30, 35, 40, 45.   d) 64, 62, 60, 58, 56.
   b) 16, 18, 20, 22, 24.   e) 72, 76, 80, 84, 88.
   c) 49, 52, 55, 58, 61.

Page 10
La gagnante est Karine.

Page 11
1. 7, 17, 27, 37, 47, 57, 67, 77, 87, 97; 2. 37; 3. 2;
4. croissant; 5. 16; 6. 8; 7. 63; 8. 8; 9. 56; 10. 10.

Page 12

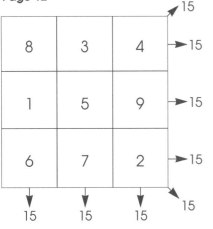

8	3	4	→15
1	5	9	→15
6	7	2	→15

15 15 15

Page 13
1. 39; 58; 77; 82; 97; 78; 100; 92; 73; 95; 163; 91.
2. 21; 13; 12; 65; 34; 10; 67; 59; 18; 57; 48; 81.

Page 14
Karina: livres; Christine: bagues; Julie: bagues,
chocolat; Judith: bagues, livres; Sophie: bagues, livres,
chocolat; Fanny: chocolat; Coralie: livres, chocolat;
Marie: aucune.

Page 15
1. Mathieu; 2. livre et crayon ou spirale;
3. 361 $; 4. 581 $; 5. 577 $.

Page 16
Le nombre caché est le 51.

Page 17
1. a) >; b) <; c) <; d) =; e) >.
2. a) 86 > 78 > 73   d) 62 > 20 < 21
   b) 93 > 53 = 53   e) 77 < 96 > 92
   c) 35 < 44 < 49   f) 42 > 29 < 30

Page 19
1. 20; 2. 12; 3. 16; 4. 25; 5. 24.
2. b, d, a, c.

Page 20
1. bleu: salle de bain; 2. rouge: chambre du bébé;
3. vert: salon; 4. jaune: chambre de Croque-Math;
5. rose: cuisine; 6. orange: chambre des parents;
7. mauve: sous-sol avec salle de jeux.

Page 21

Solide	Triangle △	Cercle ○	Rectangle ▭	Carré □	Hexagone ⬡
1		1	1		
2	2		3		
3				6	
4			2	1	
5	2			1	
6					
7			6		2
8			4	2	

Page 22
3, 4, 6 et 8.

Page 23
1. m; 2. dm; 3. dm; 4. m; 5. dm; 6. dm; 7. m.

Page 24
1. vrai; 2. vrai; 3. faux; 4. faux; 5. faux; 6. faux; 7. vrai;
8. faux; 9. vrai; 10. faux; 11. faux; 12. faux.

Page 25
Dans le ventre de maman; à 2 mois; à 6 mois;
à 1 an; à 4 ans; à 6 ans; à 8 ans.

Page 29
〜➤ = -2
➤ = +5

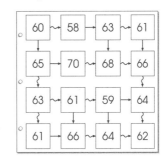

Page 30
1. a) 266; b) 878; c) 951; d) 423; e) 545; f) 479;
   g) 127; h) 632; i) 719; j) 513.
2. a) 6̲7; 2̲36; 4̲5̲8; 9̲0̲3; 1 2̲2̲2; 2 1̲46.
   b) 4̲21; 800; 1 0̲21; 1 6̲13; 2 1̲41; 6 2̲61.

Page 31
1. 75 $; 2. 413 $; 3. 389 $; 4. 87 $; 5. 99 $.

Page 33
La réponse est poire.

Page 34
Section rouge, 6ᵉ siège de la rangée B.

Page 35

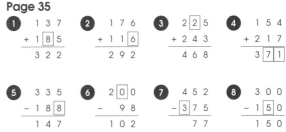

❶ 1 3 7   ❷ 1 7 6   ❸ 2 2̲5   ❹ 1 5 4
  + 1 8̲5   + 1 1 6̲   + 2 4 3   + 2 1 7
  ─────   ─────   ─────   ─────
  3 2 2   2 9 2   4 6 8   3 7̲1̲

❺ 3 3 5   ❻ 2 0̲0̲   ❼ 4 5 2   ❽ 3 0 0
  - 1 8̲8   -   9 8   - 3̲7 5   - 1 5̲0
  ─────   ─────   ─────   ─────
  1 4 7   1 0 2   7 7   1 5 0

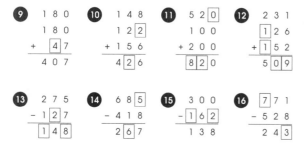

9 180
   180
+ 4̲7
  407

10 148
   12̲2
+156
 4̲2̲6

11 52̲0
  100
+200
 8̲2̲0

12 231
 1̲26
+1̲52
 509

13 275
– 1̲27
 1̲4̲8

14 68̲5
– 418
 2̲6̲7

15 300
– 1̲6̲2
 138

16 7̲71
– 528
 24̲3

Page 36
a) 18 ; b) 3 ; c) 3 ; d) 6 ; e) 1 ; f) 2 ; g) 24 ; h) 2 ; i) 1 ; j) 9 ; k) 8 ; l) 5 ; m) 4 ; n) 2 et 5.

Page 37
a) oiseau ; b) poule ; c) chat ; d) renard ; e) lapin ; f) chien ; g) baleine ; h) canard ; i) bœuf ; j) canard ; k) mouton ; l) canard ; m) chien ; n) mouton ; o) lapin ; p) baleine ; q) chat ; r) poule.

Page 38

	A	B	C	D	E	F	G	H	I	J	K
1	2	5		1	3		3	6	5		
2	2	0		1	7	9			1	0	0
3	5		2	4		5	2	3			
4			0		6	4	7		1	2	0
5	1	1	0		9		3	1	2		
6	6	2		1	7	8		5		1	0

Page 39
a) 142 ; b) 127 ; c) 192 ; d) 163 ; e) 139 ; f) 166 ; g) 360 ; h) 209 ; i) 360.

Page 40
14 ; 9 ; 0 ; 24 ; 0 ; 16 ; 24 ; 2 ; 18 ; 18 ; 0 ; 20 ; 0 ; 12 ; 4 ; 5 ; 0 ; 0 ; 16 ; 6 ; 15 ; 8 ; 12 ; 10 ; 8 ; 27 ; 8 ; 9 ; 12 ; 21.

Page 41
2. rectangles : 5 ; triangles : 29.

Page 42
1. une chaise ; 2. un bonhomme ; 3. un escalier ; 4. un B ou un 8.

Page 43
1. a) sphère ; 2. prisme triangulaire ; c) pyramide à base carrée ; d) cône ; e) cube.

Page 44
1. 6 cm² ; 2. 3 cm² ; 3. 7 cm² ; 4. 6 cm² ; 5. 6 cm².

Page 46
Chemin 2.

Page 48
1. 49 dm.
2. 55 cm → 60 cm → 7 dm → 8 dm → 75 dm.

Page 49
Plus court : 3 ; plus long : 2.

Page 50
1. faux ; 2. vrai ; 3. faux ; 4. vrai ; 5. vrai ; 6. faux ; 7. faux ; 8. faux ; 9. faux ; 10. vrai ; 11. faux ; 12. vrai.

Page 53
Or : Pierrot ; argent : Jonathan ; bronze : Nina.

Page 54
1. Croque-Géo : 130 ; Croque-Notes : 90 ; Croque-Arts : 160 ; Croque-Sciences : 100.

2. Carla : bleuet, brocoli ; Martha : orange, haricot ; Nadia : poire, carotte.

Page 55
27 = 13 + 14
27 = 12 + 15
27 = 11 + 16
27 = 10 + 17
27 = 9 + 18
27 = 8 + 19
27 = 7 + 20
27 = 6 + 21

Page 57
1. 800 km ; 2. 6 gommes à mâcher ; 3. 24 crayons ; 4. 45 chatons ; 5. 10 minutes.

Page 58
1. 853 ; 877 ; 889 ; 868 ; 878 ; 854 ; 866 ; 860 ; 860 ; 881 ; 700 ; 870 ; 891 ; 453.
2. 801 ; 113 ; 434 ; 435 ; 257 ; 362 ; 344 ; 155 ; 48 ; 247 ; 472 ; 887 ; 777 ; 501.
3. 115 ; 138 ; 157 ; 123 ; 162 ; 172 ; 165 ; 44 et 18 ; 85 et 67 ; 122 et 60 ; 247 et 218 ; 203 et 104 ; 379 et 256 ; 619 et 418.

Page 59
Kevin.

Page 60
406, 423, 462, 467, 476, 496, 563, 569, 576, 579, 601, 604, 623, 669.

Page 61
1. a) 117 = 100 + 10 + 7 ; 117 = 100 + 17.
  b) 235 = 200 + 30 + 5 ; 235 = 200 + 35.
  c) 191 = 100 + 90 + 1 ; 191 = 100 + 91.
  d) 2 173 = 2 000 + 100 + 70 + 3 ; 2 173 = 2 000 + 173.
  e) 1 322 = 1 000 + 300 + 20 + 2 ; 1 322 = 1 000 + 322.
2. a) 327 ; b) 438 ; c) 2 616 ; d) 551 ; e) 1 142 ; f) 739 ; g) 3 208 ; h) 905 ; i) 375 ; j) 111.

Page 62
1. Sébastien.
2. 30 + 13 ; 31 + 12 ; 32 + 11 ; 33 + 10 ; 25 + 18 ; 26 + 17 ; 22 + 21 ; 19 + 24.
3.

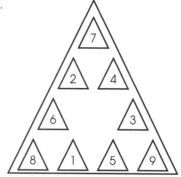

Page 63
Bateau.

Page 64
2. (J,1) ; 3. (B,3) ; 4. (D,1) ; 5. (C,6) ; 6. (E,2) ; 7. (G,5) ; 8. (I,3) ; 9. (F,4) ; 10. (I,7).

Page 65
F.

Page 68

1.

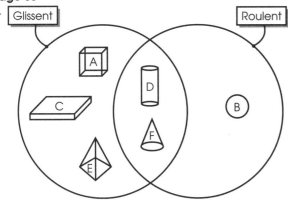

Page 69

a, e, f, h, j, n.

Page 71

1. $\overline{BC}$ = 9 cm; $\overline{CD}$ = 3 cm; $\overline{DE}$ = 6 cm; $\overline{EF}$ = 10 cm;
$\overline{FG}$ = 3 cm; $\overline{GH}$ = 1 cm; $\overline{AH}$ = 13 cm.

Page 72

Croque-Math.

Page 73

15 dessins.

Page 76

1. a) 76; b) 96; c) 85; d) 88; e) 72.
2. a) 22; b) 10; c) 2; d) 26; e) 13.
3. le crayon; 4. la gomme à effacer;
5. Benjamin et Karim.

Page 77

1. 0, 3, 6, 9, 12, 15, 18, 21, 24, 27, 30.
2. 779, 780, 781, 782, 783, 784, 785, 786, 787.
3. 4, 8, 12, 16, 20, 24, 28, 32.
4. 58, 125, 215, 389, 538, 839, 899, 998.
5. 967, 832, 796, 679, 504, 405, 382, 283.
6. a) >; b) >; c) >; d) <; e) <; f) >; g) >; h) <; i) <; j) <.

Page 78

1. 354: trois cent cinquante-quatre; 121: cent vingt
   et un; 932: neuf cent trente-deux; 660: six cent
   soixante; 87: quatre-vingt-sept.
2. b) cent vingt-neuf = 129 = 100 + 29
   c) trois cent soixante-quinze = 375 = 300 + 75
   d) huit cent quatre-vingt-dix = 890 = 800 + 90
   e) six cent quarante-deux: 642 = 600 + 42
   f) deux cent cinquante-cinq = 255 = 200 + 55

Page 79

J'aime le printemps.

Page 80

1. 334; 2. 443; 3. 464; 4. 227.

Page 81

1. a) ... 135, 133, 138, 136 = +5, -2
   b) ... 679, 676, 677, 687 = +10, -3, +1
   c) ... 101, 102, 111, 112 = +9, +1
   d) ... 266, 277, 288, 299 = +11
   e) ... 426, 429, 421, 424 = -8, +3

Page 82

1. 27 $; 2. 4 élèves; 3. 128 élèves; 4. 29 $;
5. 126 élèves.

Page 83

Colonne 1: 9; 2; 6; 17; 0; 9; 15; 16; 11; 13; 6; 4; 9; 9.
Colonne 2: 10; 13; 25; 10; 10; 28; 1; 14; 16; 12; 14;
35; 16; 7; 16.
Colonne 3: 11; 19; 5; 13; 17; 12; 17; 15; 44; 16; 15;
15; 14; 17; 8.
Colonne 4: 29; 12; 5; 19; 17; 10; 7; 9; 12; 16; 15; 11;
36; 19; 13.

Page 84

Horizontalement: 1. démarche; 2. carré; 4. addition,
cent; 6. somme, six; 7. mètre; 9. région; 11. pair;
12. soustraire; 14. arêtes.
Verticalement: 2. dizaine, impair; 4. produit; 5. dix;
9. nombres; 11. chiffres; 14. centaine; 15. terme.

Page 85

1. (E,5); 2. (E,1); 3. (F,6).

Page 86

1. 53; 2. 54; 3. 74; 4. 42; 5. 79; 6. 116.

Page 89

1. Lignes brisées: 1, 3, 5, 12, 13, 14.
   Lignes non brisées: 2, 4, 6, 7, 8, 9, 10, 11, 15, 16, 17,
   18.
2.

	Lignes brisées	Lignes non brisées
Lignes fermées	1, 3, 5, 13	2, 4, 8, 11, 18
Lignes non fermées	12, 14	6, 7, 9, 10, 15, 16, 17

3. 2, 8, 11 et 18.
4. 1, 3, et 13.
5. 6, 7, 9, 10, 16, et 17.
6. 15.

Page 93

1. → circulation dans le sens de la flèche seulement
   ↔ circulation dans les deux sens
3. sentier 3; 4. sentier 2 suivi du sentier 6; 5. sentiers 4
et 5; 6. sentier 7; 7. sentiers 1, 2, 3, 4 et 7; 8. sentiers 4,
5 et 6; 9. non parce qu'il est à l'extérieur des sentiers.

Page 94

2.

Mètres	Décimètres	Centimètres
8	80	800
2	20	200
7	70	700
9	90	900
3	30	300
6	60	600
4	40	400
1	10	100

Page 95

1. a) 5; b) 6; c) 12; d) 6; e) 11; f) 10.

2. a) 6 ; b) 9 ; c) 14 ; d) 12 ; e) 8 ; f) 14.

Page 96
1. 100 cm ; 2. 4 m ; 3. 15 dm ; 4. 10 m ; 5. 10 m ;
6. 11 dm ; 7. 18 dm ; 8. 15 dm.

Page 98
1. a) 200 ; b) 165 ; c) 230 ; d) 215 ; e) 140 ; f) 250.

Page 99
1. 250, 230, 215, 200, 165, 140 ; 3. 35 ; 4. 90 ;
5. numéros variés.

Page 100
1. 42 tomates ; 2. 36 $; 3. 45 $; 4. 5 $; 6. 10 boîtes.

Page 102
1. a) 167 ; b) 369 ; c) 399 ; d) 286 ; e) 78 ; f) 117 ;
   g) 189 ; h) 309.
2. a) 347 ; b) 79 ; c) 78 ; d) 219 ; e) 534 ; f) 59 ; g) 177 ;
   h) 89.

Page 104
1. 15 personnes ; 2. 36 minutes ; 3. 54 élèves ;
4. 21 élèves ; 5. 56 chaises ; 6. 8 personnes ;
7. 8 élèves ; 9. 35 $.

Page 105
1. Marie ; 2. Martin ; 3. Carlie ; 4. Ryan ; 5. Tina ; 6. Rémi.

Page 106
1. a) 147 km ; b) 649 km ; c) 135 km ; d) 253 km ;
   e) 831 km ; f) 240 km ; g) 930 km.
2. a) Québec et Trois-Rivières ; b) 135 km.
3. a) Montréal et Gaspé ; b) 930 km.
4. 640 km ; 5. b ; 6. a) 7 h ; b) 4 h 30 ; c) 1 h 30 ; d) 2 h.

Page 108
Un pli dans le rideau de gauche, une fleur sur la robe
de la fille de gauche, une 3e boule au-dessus de la
couronne de Croque-Math et une fleur sur sa robe,
le nez et une boutonnière du garçon de droite, un
élément sur la boule de droite qui retient le tissu, la
main droite du 3e spectateur, un élément sur le siège
du 6e spectateur.

Page 109
1. itinéraire B ; 2. itinéraire A ; 3. Saint-Eustache →
Montréal → Terrebonne ; 4. Saint-Janvier →
Terrebonne → Montréal → Saint-Eustache.

Page 112
1 et E ; 2 et C ; 3 et B ; 4 et D ; 5 et F ; 6 et A.

Page 113
Numéro 1.

Page 114
1. 12 ; 2. 16 ; 3. 8 ; 4. 15 ; 5. 3 ; 6. 24 ; 7. 13 ; 8. 5 ; 9. 27 ;
10. 18 ; 11. 24 ; 12. 10 ; 13. 9 ; 14. 9 ; 15. 15 ; 16. 26 ;
17. 12 ; 18. 27 ; 19. 18 ; 20. 15.

Page 115
$\overline{AB}$ = 5 cm ; $\overline{BC}$ = 7 cm ; $\overline{CD}$ = 3 cm ; $\overline{DE}$ = 5 cm ;
$\overline{EF}$ = 7 cm ; $\overline{FG}$ = 11 cm ; $\overline{GH}$ = 11 cm.

Page 119
1. 2 ; 2. 8 ; 3. 8 ; 4. 4 ; 5. 0 ; 6. 9 ; 7. 8 ; 8. 28 ; 9. 9 ; 10. 11 ;
11. 3 ; 12. 5 ; 13. 28 ; 14. 9 ; 15. 4 ; 16. 2 ; 17. 4 ; 18. 63 ;
19. 4 ; 20. 53.

Page 120
1. a) 14 $; b) 7 $; 2. a) 63 entrées ; b) 63 $; 3. a) 876 $;
b) 124 $.

Page 121
Bicyclette.

Page 122
1. volume ; 2. impair ; 3. dizaine ; 4. équation ;
5. opérateur ; 6. aire ; 7. unités ; 8. centaine ; 9. pairs ;
10. mille ; 11. chiffres.

Page 124
1. 42 personnes ; 2. 56 personnes ; 3. 98 personnes ;
4. a) 72 tuiles ; b) 360 tuiles ; 5. a) 56 carreaux ;
b) 280 carreaux ; 6. a) 3 024 tuiles ; b) 15 120 tuiles.
7. a) 3 136 carreaux ; b) 15 680 carreaux.

Page 125
Les trois oiseaux, le soleil, un des nuages, un des
sapins, la grosse roche, les petites touffes d'herbe.

Page 126
1. assiette de fromages, brochette de fruits de mer,
gâteau au fromage et lait ou jus ou boisson gazeuse.
2. soupe du jour, lasagne au four, salade de fruits et
thé ou café ou tisane.
3. a) 22 $; b) 35 $.

Page 127
Pomme.

Page 128
1. V = 0 ; I = 1 ; E = 16 ; A = 24 ; V = 4 ; S = 20 ; N = 45 ;
   V = 21 ; C = 36 ; E = 6 ; A = 40 ; L = 9 ; C = 49 ; E = 63 ;
   S = 81.
2. Vive les vacances.
3. 0 + 35 + 6 + 24 + 27 = 92.
4. Ils donnent tous 12.

Page 129
1. 511 ; 2. 670 ; 3. 408 ; 4. 136 ; 5. 850 ; 6. 576 ; 7. 172 ;
8. 676 ; 9. 704 ; 10. 271 ; 11. 844 ; 12. 123 ; 13. 1 000 ;
14. 275 ; 15. 187 ; 16. 617 ; 17. 925 ; 18. 262 ; 19. 664 ;
20. 478.

Page 130
81.

Page 131
1 et 5.

Page 132
1. mont Requin ; 2. mont Lapin ; 3. 100 m ; 4. 250 m ;
5. 825 m.

Page 133
1. c ; 2. d.

Page 134
1. 4 enfants ; 2. 3 enfants ; 3. 4 enfants ; 4. une fille ;
5. oui, un enfant ; 6. un parasol.

Page 136
1. a) 25 ; b) 24 ; c) 9 ; d) 5 ; e) 15 ; f) 11 ; g) 26 ; h) 15.
2. a) 15 ; b) 8 ; c) 16 ; d) 27 ; e) 5 ; f) 13 = d, c, a, f, b, e.

Page 137
1. soleil ; 2. plage ; 3. vacances ; 4. camping ;
5. océan ; 6. bicyclette.

Page 138
1. ACJ ; 2. OAC ; 3. FE ou FDE ; 4. JCAWXY.

Page 139
1. 140 m ; 2. 150 m ; 3. 180 m ; 4. 230 m.

Page 140
1. c ; 2. a ; 3. c ; 4. c ; 5. c ; 6. c ; 7. b ; 8. a.